dtv
Bibliothek der Erstausgaben

★

Theodor Storm
Immensee

Theodor Storm

Immensee

Novelle

Altona 1848

Herausgegeben von
Joseph Kiermeier-Debre

Deutscher Taschenbuch Verlag

Der Nachdruck des Textes folgt originalgetreu
der Erstausgabe von 1848.
Die Originalpaginierung wird im fortlaufenden Text vermerkt.
Der Anhang gibt Auskunft zu Autor und Werk.

Originalausgabe
Juli 1999
2. Auflage April 2007
Deutscher Taschenbuch Verlag GmbH & Co. KG, München
© 1999 Deutscher Taschenbuch Verlag, München
Umschlagkonzept: Balk & Brumshagen
Umschlagbild: Ausschnitt eines Gemäldes
von Otto Didrich Ottesen
Gesetzt aus der Bembo Berthold
Satz: Fritz Franz Vogel, CH-Wädenswil
Druck und Bindung: Druckerei C. H. Beck, Nördlingen
Gedruckt auf säurefreiem, chlorfrei gebleichtem Papier
Printed in Germany · ISBN 978-3-423-02654-3

Immensee.

An einem Spätherbstnachmittage ging ein alter wohlgekleideter Mann langsam die Straße hinab. Er schien von einem Spaziergange nach Hause zurückzukehren; denn seine Schnallenschuhe, die einer vorübergegangenen Mode angehörten, waren bestäubt. Den langen Rohrstock mit goldenem Knopf trug er unter dem Arm; mit seinen dunkeln Augen, in welche sich die ganze verlorene Jugend gerettet zu haben schien, und welche eigenthümlich von den schneeweißen Haaren abstachen, sah er ruhig umher oder in die Stadt hinab, welche im Abendsonnendufte vor ihm lag. – Er schien fast ein Fremder; denn von den Vorübergehenden grüßten ihn nur wenige, obgleich Mancher unwillkürlich in diese ernsten Augen zu sehen gezwungen wurde. Endlich stand er vor einem hohen Giebelhause still, sah noch einmal in die Stadt hinaus, und trat dann in die Hausdiele. Bei dem Schall der Thürglocke wurde drinnen in der Stube von einem Guckfenster, welches nach der |57| Diele hinausging, der grüne Vorhang weggeschoben und das Gesicht einer alten Frau dahinter sichtbar. Der Mann winkte ihr mit seinem Rohrstock. „Noch kein Licht!" sagte er in einem etwas südlichen Accent; und die Haushälterin ließ den Vorhang wieder fallen. Der Alte ging nun über die weite Hausdiele, durch einen Pesel, wo große Eichschränke mit Porzellainvasen an den Wänden standen; durch die gegenüberstehende Thür trat er in einen kleinen Flur, von wo aus eine enge Treppe zu den obern Zimmern des Hinterhauses führte. Er stieg sie langsam hinauf, schloß oben eine Thür auf und trat dann in ein mäßig großes Zimmer. Hier war es heimlich und still; die eine Wand war fast mit Repositorien und Bücherschränken bedeckt; an der andern hingen Bilder von Menschen und Gegenden; vor einem Tisch mit grüner Decke, auf dem einzelne aufgeschlagene Bücher umherlagen, stand ein schwerfälliger Lehnstuhl mit rothem Sammetkissen. Nachdem der Alte Hut und Stock in die Ecke gestellt hatte, setzte er sich in den Lehnstuhl und schien mit gefalteten Händen von seinem Spaziergange auszuruhen. – Wie er so saß, wurde es allmählig dunkler; endlich fiel ein Mondstrahl durch die Fensterscheiben auf die Gemälde an der Wand, und wie der helle Streif langsam weiter rückte, folgten die Augen des Mannes unwillkührlich. Nun trat er über ein kleines Bild in schlichtem schwarzem Rahmen. „Elisabeth", sagte der Alte leise, und wie er das Wort gesprochen, war die Zeit verwandelt; er war in seiner Jugend.

Hier war er nicht allein; denn bald trat die anmuthige Gestalt eines kleinen Mädchens zu ihm. Sie
hieß Elisabeth und mochte fünf Jahre zählen; er
selbst war doppelt so alt. Um den Hals trug sie ein
rothseidenes Tüchelchen; das ließ ihr hübsch zu den
braunen Augen.

„Reinhardt!" rief sie, „wir haben frei, frei! den
ganzen Tag keine Schule, und morgen auch nicht."

Reinhardt stellte die Rechentafel, die er schon
unter'm Arm hatte, flink hinter die Hausthür, und
dann liefen beide Kinder durchs Haus in den Garten,
und durch die Gartenpforte hinaus auf die Wiese. Die
unverhofften Ferien kamen ihnen herrlich zu Statten.
Reinhardt hatte hier mit Elisabeths Hülfe ein Haus
aus Rasenstücken aufgeführt; darin wollten sie die
Sommerabende wohnen; aber es fehlte noch die
Bank. Nun ging er gleich an die Arbeit; Nägel,
Hammer und die nöthigen Bretter lagen schon bereit.
Während dessen ging Elisabeth an dem Wall entlang
und sammelte den ringförmigen Saamen der |58|
wilden Malve in ihre Schürze; davon wollte sie sich
Ketten und Halsbänder machen; und als Reinhardt
endlich trotz manches krumm geschlagenen Nagels
seine Bank dennoch zu Stande gebracht hatte und
nun wieder in die Sonne hinaustrat, ging sie schon
weit davon am andern Ende der Wiese.

„Elisabeth!" rief er, „Elisabeth!" und da kam sie,
und ihre Locken flogen. „Komm," sagte er, „nun ist

unser Haus fertig. Du bist ja ganz heiß geworden; komm herein, wir wollen uns auf die neue Bank setzen. Ich erzähl' Dir etwas."

Dann gingen sie beide hinein und setzten sich auf die neue Bank. Elisabeth nahm ihre Ringelchen aus der Schürze und zog sie auf lange Bindfäden; Reinhardt fing an zu erzählen: „Es waren einmal drei Spinnfrauen" – –

„Ach," sagte Elisabeth, „das weiß ich ja auswendig; Du mußt auch nicht immer dasselbe erzählen."

Da mußte Reinhardt die Geschichte von den drei Spinnfrauen stecken lassen, und statt dessen erzählte er nun die Geschichte von dem armen Mann, der in die Löwengrube geworfen war. Es war Nacht und die Löwen schliefen; mitunter aber gähnten sie im Schlaf und reckten die rothen Zungen aus. Dann schauderte der Mann und meinte, daß der Morgen komme. Da warf es um ihn her auf einmal einen hellen Schein, und als er aufsah, stand ein Engel vor ihm. Der winkte ihm mit der Hand und ging gerade in die Felsen hinein; da stand der Mann auf und folgte ihm, und sie gingen ungehindert weiter mitten durchs Gestein, und bei jedem Schritt, den sie vorwärts thaten, wurden vor ihnen die Felsen donnernd aufgerissen.

So erzählte Reinhardt; Elisabeth hatte aufmerksam zugehört. „Ein Engel?" sagte sie. „Hatte er denn Flügel?"

„Es ist nur so eine Geschichte," antwortete Reinhardt; „es giebt ja gar keine Engel".

„O pfui, Reinhardt!" sagte sie und sah ihm starr in's Gesicht. Als er sie aber finster anblickte, fragte sie ihn zweifelnd: „Warum sagen sie es denn immer? Mutter und Tante und auch in der Schule?"

„Das weiß ich nicht," antwortete er; „aber es giebt doch keine".

„Aber Du," sagte Elisabeth, „giebt es denn auch keine Löwen?"

„Löwen? Ob es Löwen giebt! In Indien; da spannen die Götzenpriester sie vor den Wagen und fahren mit ihnen durch die Wüste. Wenn ich groß bin, will ich einmal selber hin. Da ist es |59| viel tausendmal schöner, als hier bei uns; da giebt es gar keinen Winter. Du mußt auch mit mir. Willst Du?"

„Ja," sagte Elisabeth; „aber Mutter muß dann auch mit, und Deine Mutter auch."

„Nein," sagte Reinhardt; „die sind dann zu alt, die können nicht mit."

„Ich darf aber nicht allein."

„Du sollst schon dürfen; Du wirst dann wirklich meine Frau, und dann haben die Andern Dir nichts zu befehlen."

„Aber meine Mutter wird weinen."

„Wir kommen ja wieder," sagte Reinhardt heftig; „sag' es nur gerade heraus, willst Du mit mir reisen?

Sonst geh ich allein; und dann komme ich nimmer
wieder."

Der Kleinen kam das Weinen nahe. „Mach nur
nicht so böse Augen," sagte sie; „ich will ja mit nach
Indien."

Reinhardt faßte sie mit ausgelassener Freude bei
beiden Händen, und zog sie hinaus auf die Wiese.
„Nach Indien, nach Indien!" sang er und schwenkte
sich mit ihr im Kreise, daß ihr das rothe Tüchelchen
vom Halse flog. Dann aber ließ er sie plötzlich los
und sagte ernst: „Es wird doch nichts daraus werden;
Du hast keine Courage."

– – Elisabeth! Reinhardt! rief es jetzt von der
Gartenpforte. „Hier! Hier!" antworteten die Kinder,
und sprangen Hand in Hand nach Hause.

––––––––

So lebten die Kinder zusammen; sie war ihm oft zu
still, er war ihr oft zu heftig, aber sie ließen deshalb
nicht von einander; fast alle Freistunden theilten sie,
Winters in den beschränkten Zimmern ihrer Mütter,
Sommers in Busch und Feld. – Als Elisabeth einmal
in Reinhardts Gegenwart von dem Schullehrer
gescholten wurde, stieß er seine Tafel zornig auf den
Tisch, um den Eifer des Mannes auf sich zu lenken.
Es wurde nicht bemerkt. Aber Reinhardt verlor alle
Aufmerksamkeit an den geographischen Vorträgen;

statt dessen verfaßte er ein langes Gedicht; darin
verglich er sich selbst mit einem jungen Adler, den
Schulmeister mit einer grauen Krähe, Elisabeth war
die weiße Taube; der junge Adler gelobte, an der
grauen Krähe Rache zu nehmen, sobald ihm die
Flügel gewachsen sein würden. Dem jungen Dichter
standen die Thränen in den Augen; er kam sich sehr
erhaben vor. Als er nach Hause gekommen war,
wußte er sich einen kleinen |60| Pergamentband mit
vielen weißen Blättern zu verschaffen; auf die ersten
Seiten schrieb er mit sorgsamer Hand sein erstes
Gedicht. – Bald darauf kam er in eine andere Schule;
hier schloß er manche neue Kameradschaft mit
Knaben seines Alters; aber sein Verkehr mit Elisabeth
wurde dadurch nicht gestört. Von den Märchen,
welche er ihr sonst erzählt und wiedererzählt hatte,
fing er jetzt an, die, welche ihr am besten gefallen
hatten, aufzuschreiben; dabei wandelte ihn oft die
Lust an, etwas von seinen eigenen Gedanken hinein-
zudichten; aber immer überkam ihn das Gefühl, als
dürfe er diese uralten Geschichten nicht antasten. So
schrieb er sie genau auf, wie er sie selber gehört hatte.
Dann gab er die Blätter an Elisabeth, die sie in einem
Schubfach ihrer Schatulle sorgfältig aufbewahrte; und
es gewährte ihm eine anmuthige Befriedigung, wenn
er sie mitunter Abends diese Geschichten in seiner
Gegenwart aus den von ihm geschriebenen Heften
ihrer Mutter vorlesen hörte.

Sieben Jahre waren vorüber. Reinhardt sollte zu seiner weiteren Ausbildung die Stadt verlassen. Elisabeth konnte sich nicht in den Gedanken finden, daß es nun eine Zeit ganz ohne Reinhardt geben werde. Es freute sie, als er ihr eines Tages sagte, er werde, wie sonst, Märchen für sie aufschreiben; er wolle sie ihr mit den Briefen an seine Mutter schicken; sie müsse ihm dann wieder schreiben, wie sie ihr gefallen hätten. Die Abreise rückte heran; vorher aber kam noch mancher Reim in den Pergamentband. Das allein war für Elisabeth ein Geheimniß, obgleich sie die Veranlassung zu dem ganzen Buche und zu den meisten Liedern war, welche nach und nach fast die Hälfte der weißen Blätter gefüllt hatten.

Es war im Juni; Reinhardt sollte am andern Tage reisen. Nun wollte man noch einmal sich und die Natur zusammen in Heiterkeit empfinden. Dazu wurde eine Landpartie nach dem nahbelegenen Waldgebirge in größerer Gesellschaft veranstaltet. Der stundenlange Weg bis an den Saum des Waldes wurde zu Wagen zurückgelegt; dann nahm man die Proviantkörbe herunter und marschirte weiter. Ein Tannengehölz mußte zuerst durchwandert werden; die dunkeln Kronen bildeten ein undurchdringliches Dach gegen die heiße Vormittagssonne; es war kühl und dämmerig und der Boden überall mit seinen Nadeln bestreut. Nach halbstündigem Wandern und Steigen kam man aus dem Tannendunkel in eine frische Buchenwaldung; hier war alles licht und grün, mitunter brach ein Sonnenstrahl durch die blätterreichen Zweige; ein Eichkätzchen sprang über ihren Köpfen von Ast zu Ast. |61| Auf einem Platze, über welchem uralte Buchen mit ihren Kronen zu einem durchsichtigen Laubgewö[l]be emporstrebten, machte die Gesellschaft Halt. Elisabeths Mutter öffnete einen der Körbe; ein alter Herr warf sich zum Proviantmeister auf. „Alle um mich herum, Ihr jungen Vögel!" rief er, „und merket genau, was ich Euch zu sagen habe. Zum Frühstück erhält jetzt ein Jeder von Euch zwei trockene Wecken; die Butter ist zu Hause geblieben, die Zukost muß sich ein Jeder selber suchen. Es stehen genug Erdbeeren im Walde, das heißt, für den, der sie zu finden weiß. Wer ungeschickt ist, muß sein Brod trocken essen; so geht es überall im Leben. Habt Ihr meine Rede begriffen?"

„Ja wohl!" riefen die Jungen.

„Ja seht," sagte der Alte, „sie ist aber noch nicht zu Ende. Wir Alten haben uns im Leben schon genug umhergetrieben; darum bleiben wir jetzt zu Haus, das heißt, hier unter diesen breiten Bäumen, und schälen die Kartoffeln, und machen Feuer und rüsten die Tafel, und wenn die Uhr zwölf ist, sollen auch die Eier gekocht werden. Dafür seid Ihr uns von Euren Erdbeeren die Hälfte schuldig, damit wir auch einen Nachtisch serviren können. Und nun geht nach Ost und West und seid ehrlich!"

Die Jungen machten allerlei schelmische Gesich-
ter. „Halt!" rief der alte Herr noch einmal. „Das
brauche ich Euch wohl nicht zu sagen, wer keine
findet, braucht auch keine abzuliefern; aber das
schreibt Euch wohl hinter Eure feinen Ohren, von
uns Alten bekommt er auch nichts. Und nun habt
Ihr für diesen Tag gute Lehren genug; wenn Ihr nun
noch Erdbeeren dazu habt, so werdet Ihr für heute
schon durch's Leben kommen."

Die Jungen waren derselben Meinung, und
begannen sich Paarweise auf die Fahrt zu machen.

„Komm, Elisabeth," sagte Reinhardt, „ich weiß
einen Erdbeerenschlag; Du sollst kein trocknes Brod
essen."

So gingen sie in den Wald hinein; als sie eine
Strecke gegangen waren, sprang ein Hase über den
Weg. „Böse Zeichen!" sagte Reinhardt. Die Wanderung wurde immer mühsamer; bald mußten sie über
weite sonnige Halden, bald waren Felsstücke zu
überklettern.

„Wo bleiben Deine Erdbeeren?" fragte Elisabeth,
indem sie stehen blieb und einen tiefen Athemzug
that.

Sie waren bei diesen Worten um eine schroffe
Felsenkante herumgegangen. Reinhardt machte ein
erstauntes Gesicht. „Hier haben sie |62| gestanden,
sagte er; aber die Kröten sind uns zuvorgekommen,
oder die Marder, oder vielleicht die Elfen."

„Ja," sagte Elisabeth, „die Blätter stehen noch da; aber sprich hier nicht von Elfen. Komm nur, ich bin noch gar nicht müde; wir wollen weiter suchen."

Vor ihnen war ein kleiner Bach, jenseits wieder der Wald. Reinhardt hob Elisabeth auf seine Arme und trug sie hinüber. Nach einer Weile traten sie aus dem schattigen Laube wieder in eine weite Lichtung hinaus. „Hier müssen Erdbeeren sein," sagte das Mädchen, „es duftet so süß."

Sie gingen suchend durch den sonnigen Raum; aber sie fanden keine. „Nein," sagte Reinhardt, „es ist nur der Duft des Haidekrauts."

Himbeerbüsche und Hülsendorn standen überall durch einander, ein starker Geruch von Haidekräutern, welche abwechselnd mit kurzem Grase die freien Stellen des Bodens bedeckten, erfüllte die Luft. „Hier ist es einsam," sagte Elisabeth; „wo mögen die andern sein?"

An den Rückweg hatte Reinhardt nicht gedacht. „Warte nur, woher kommt der Wind?" sagte er, und hob seine Hand in die Höhe. Aber es kam kein Wind.

„Still," sagte Elisabeth, „mich dünkt, ich hörte sie sprechen. Rufe einmal dahinunter."

Reinhardt rief durch die hohle Hand: „Kommt hieher!" – „Hieher!" rief es zurück.

„Sie antworten," sagte Elisabeth und klatschte in die Hände.

„Nein, es war nichts, es war nur der Wiederhall."

Elisabeth faßte Reinhardts Hand. „Mir graut!" sagte sie.

„Nein," sagte Reinhardt, „das muß es nicht. Hier ist es prächtig. Setz Dich dort in den Schatten zwischen die Kräuter. Laß uns eine Weile ausruhen; wir finden die Andern schon."

Elisabeth setzte sich unter eine überhängende Buche und lauschte aufmerksam nach allen Seiten; Reinhardt saß einige Schritte davon auf einem Baumstumpf und sah schweigend nach ihr hinüber. Die Sonne stand gerade über ihnen, es war glühende Mittagshitze; kleine goldglänzende Fliegen standen flügelschwingend in der Luft; rings um sie her ein feines Schwirren und Summen, und manchmal hörte man tief im Walde das Hämmern der Spechte und das Kreischen der andern Waldvögel.

„Horch," sagte Elisabeth, „es läutet."

„Wo?" fragte Reinhardt.

|63| „Hinter uns. Hörst Du? Es ist Mittag."

„Dann liegt hinter uns die Stadt; und wenn wir in dieser Richtung gerade durchgehen, so müssen wir die Andern treffen."

So traten sie ihren Rückweg an; das Erdbeerensuchen hatten sie aufgegeben, denn Elisabeth war müde geworden. Endlich klang zwischen den Bäumen hindurch das Lachen der Gesellschaft; dann sahen sie auch ein weißes Tuch am Boden schim-

mern, das war die Tafel und darauf standen Erdbeeren in Hülle und Fülle. Der alte Herr hatte eine
weiße Serviette im Knopfloch und hielt den Jungen
die Fortsetzung seiner moralischen Reden, während
er eifrig an einem Braten herumtranchirte.

„Da sind die Nachzügler!" riefen die Jungen, als
sie Reinhardt und Elisabeth durch die Bäume kommen sahen.

„Hieher!" rief der alte Herr, „Tücher ausgeleert,
Hüte umgekehrt! Nun zeigt her, was Ihr gefunden
habt."

„Hunger und Durst!" sagte Reinhardt.

„Wenn das Alles ist," erwiederte der Alte und hob
ihnen die volle Schüssel entgegen, „so müßt Ihr ihn
auch behalten. Ihr kennt die Abrede; hier werden
keine Müssiggänger gefüttert."

Endlich ließ er sich aber doch erbitten, und nun
wurde Tafel gehalten; dazu schlug die Drossel aus
den Wachholderbüschen.

So ging der Tag hin. – Reinhardt hatte aber doch
etwas gefunden; waren es keine Erdbeeren, so war
es doch auch im Walde gewachsen. Als er nach
Hause gekommen war, schrieb er in seinen alten
Pergamentband:

„Als wir uns im Walde verirrt hatten.
Hier an der Bergeshalde
Verstummet ganz der Wind;

Die Zweige hängen nieder,
Darunter sitzt das Kind.

Sie sitzt in Thymiane,
Sie sitzt in lauter Duft;
Die blauen Fliegen blitzen
Und summen durch die Luft.

Es steht der Wald so schweigend,
Sie schaut so klug darein;
Um ihre braunen Locken
Hinfließt der Sonnenschein.

|64| Der Kuckuck lacht von ferne,
Es geht mir durch den Sinn:
Sie hat die goldnen Augen
Der Waldeskönigin."

So war sie nicht allein sein Schützling; sie war ihm
auch der Ausdruck für alles Liebliche und Wunder-
bare seines aufgehenden Lebens.

———————

Reinhardt hatte in einer entfernten Stadt die Universität bezogen. Der phantastische Aufputz und die
freien Verhältnisse des Studentenlebens entwickel-
ten den ganzen Ungestüm seiner Natur. Das Stillle-

ben seiner Vergangenheit und die Personen, welche
dahinein gehörten, traten immer mehr zurück; die
Briefe an seine Mutter wurden immer sparsamer,
auch enthielten sie keine Märchen für Elisabeth. So
schrieb denn auch sie nicht an ihn, und er bemerkte es kaum. Irrthum und Leidenschaft begannen ihr
Theil von seiner Jugend zu fordern. So verging ein
Monat nach dem andern.

Endlich war der Weihnachtabend herangekom-
men. – Es war noch früh am Nachmittage, als eine
Gesellschaft von Studenten an dem alten Eichtische
im Rathsweinkeller vor vollen Rheinweinflaschen
zusammensaß. Die Lampen an den Wänden waren
angezündet, denn hier unten dämmerte es schon.
Die Studenten sangen ein lateinisches Trinklied, und
die Präsides, welche zu beiden Enden des Tisches
saßen, schlugen bei jedem Endrefrain mit den
blanken Schlägern aneinander, die sie beständig in
den Händen hielten. Die Meisten aus der Gesellschaft trugen rothe oder blaue silbergestickte Käpp-
chen, und außer Reinhardt, welcher mit in der Zahl
war, rauchten alle aus langen mit schweren Quästen
behangenen Pfeifen, welche sie auch während des
Singens und Trinkens unaufhältlich in Brand zu
halten wußten. – Nicht weit davon in einem Winkel
des Gewölbes saßen ein Geigenspieler und zwei
Zittermädchen; sie hatten ihre Instrumente auf dem
Schooß liegen und sahen gleichgültig dem Gelage zu.

Am Studententische wurde ein Rundgesang
beliebt; Reinhardts Nachbar hatte eben gesungen.
„Vivat sequens!" rief er und stürzte sein Glas herunter. Reinhardt sang sogleich:

    „Wein her! Es brennt mir im Gehirne;
    Wein her! Nur einen ganzen Schlauch!
    Wohl ist sie schön, die braune Dirne,
    Doch eine Hexe ist sie auch!"

Dann hob er sein Glas auf und that, wie sein Vor-
gänger.

|65| „Brandfuchs!" rief der eine Präses und füllte
Reinhardt's leeres Glas, „Deine Lieder sind noch
durstiger, als Deine Kehle."

„Vivat sequens!" rief Reinhardt.

„Holla! Musik!" schrie der dritte; „Musik, wenn
wir singen, verfluchter Geigenpeter!"

„Gnädiger Herr," sagte der Geigenspieler, „die
Herren Barone belieben gar zu lustig durcheinander
zu singen. Wir können's nicht gar so geschwind."

„Flausen, vermaledeite braune Lügen! Die
schwarze Lore ist eigensinnig; und Du bist ihr
gehorsamer Diener!"

Der Geigenpeter flüsterte dem Mädchen etwas
in's Ohr; aber sie warf den Kopf zurück und stützte
das Kinn auf ihre Zitter. „Für den spiel' ich nicht."
sagte sie.

„Gnädiger Herr," rief der Geigenpeter, „die Zitter
ist in Unordnung, Mamsell Lore hat eine Schraube

verloren; die Käthe und ich werden uns bemühen, Euer Gnaden zu begleiten."

„Herr Bruder," sagte der Angeredete und schlug Reinhardt auf die Schulter, „Du hast uns das Mädel totalement verdorben! Geh, und bring' ihr die Schrauben wieder in Ordnung, so werde ich Dir zum Recompens Dein neuestes Liedel singen."

„Bravo!" riefen die Uebrigen, „die Käthe ist zu alt, die Lore muß spielen."

Reinhardt sprang mit dem Glase in der Hand auf, und stellte sich vor sie. „Was willst Du?" fragte sie trotzig.

„Deine Augen sehn."

„Was gehn Dich meine Augen an?"

Reinhardt sah funkelnd auf sie nieder. „Ich weiß wohl, sie sind falsch; aber sie haben mein Blut in Brand gesteckt." Er hob sein Glas an den Mund. „Auf Deine schönen, sündhaften Augen!" sagte er und trank.

Sie lachte, und warf den Kopf herum. „Gieb!" sagte sie; und indem sie ihre verzehrenden Augen in die seinen heftete, trank sie langsam den Rest. Dann griff sie einen Dreiklang, und indem der Geigenpeter und das andere Mädchen einfielen, secondirte sie Reinhardt's Lied mit ihrer tiefen Altstimme.

„Ad loca!" riefen die Präsides und klirrten mit den Schlägerklingen. Nun ging der Rundgesang die Reihe durch, dazu klangen die Gläser und die Schläger klirrten beim Endrefrain, und die Geige und die Zittern rauschten dazwischen. Als das zu Ende war, warfen die |66| Präsides die Schläger auf den Tisch und riefen: „colloquium!" Nun schlug ein alter dick-wanstiger Bursche mit der Faust auf den Tisch: „Jetzt werde ich den Füchsen einigen Unterricht angedei-hen lassen!" rief er, „das wird ihnen über die Maaßen wohlthun. Aufgemerkt also! Wer nicht antworten kann, trinkt drei pro poena." Die Füchse und die Brandfüchse standen sämmtlich auf und faßten jeder ihr Glas. Nun fragte das bemooste Haupt: „Was für ein Abend ist heute Abend?"

„Weihnachtabend!" riefen die Füchse wie aus einer Kehle.

Der Alte nickte langsam mit dem Kopfe. „Ei, ei!" sagte er, „die Füchse werden immer klüger. Aber nun kommt's: „Wie viel der heiligen Könige erschienen an der Krippe zu Bethlehem?"

„Drei!" antworteten die Füchse.

„Ja," sagte der Alte, „ich dachte nicht daran; Ihr seid ja eben erst hinter'm Katechismus weggelaufen. Aber nun geht's an die Hauptfrage! Woher, wenn's zu Bethlehem der heiligen Könige nur drei waren, woher kommt es, daß heute Abend ihrer dennoch vier erscheinen werden?"

„Aus Deiner Tasche kommt es!" sagte Reinhardt. „Heraus mit dem Buch der vier Könige, Du einge-fleischter Spielteufel!"

„Du knackst alle Nüsse, mein Junge!" sagte der Alte und reichte Reinhardten über den Tisch weg die Hand. „Komm, ich geb' Dir Revange für Deine silbernen Tressen, die Du Dir gestern vom Sonntags-camisol herunterschneiden mußtest. Aber heute geht's um baar Geld!" Dabei schlug er an seine Westentaschen und breitete ein vergriffenes Spiel Karten auf dem Tisch aus. – Reinhardt griff in seine Taschen; es war kein Heller darin. Eine hastige Röthe stieg ihm in's Gesicht; er wußte, zu Haus in einer Schieblade seines Pultes lagen noch drei Gulden; er hatte sie zurückgelegt, um ein Weihnachts-geschenk für Elisabeth dafür zu kaufen, und dann wieder darum vergessen. „Baar Geld?" sagte er, „ich habe nichts bei mir; aber wart' nur, ich bin gleich wieder da." Dann stand er auf und stieg eilig die Kellertreppe hinauf.

Draußen auf der Straße war es tiefe Dämmerung; er fühlte die frische Winterluft an seiner heißen Stirn. Hie und da fiel der helle Schein eines brennen-den Tannenbaums aus den Fenstern, dann und wann hörte man von drinnen das Geräusch von kleinen Pfeifen und Blechtrompeten und dazwischen ju-belnde Kinderstimmen. Schaaren von Bettelkindern gingen von Haus zu Haus, oder stiegen auf die Treppengeländer und suchten durch die Fenster einen Blick in die versagte Herr|67|lichkeit zu ge-winnen. Mitunter wurde auch eine Thür plötzlich

aufgerissen und scheltende Stimmen trieben einen
ganzen Schwarm solcher kleinen Gäste aus dem
hellen Hause auf die dunkle Gasse hinaus; anders-
wo wurde auf dem Hausflur ein altes Weihnachts-
lied gesungen; es waren klare Mädchenstimmen
darunter. Reinhardt hörte sie nicht, er ging rasch an
Allem vorüber, aus einer Straße in die andere. Als er
an seine Wohnung gekommen, war es fast völlig
dunkel geworden; er stolperte die Treppe hinauf und
trat in seine Stube. Er wollte sofort im Dunkeln das
Pult aufschließen und das Geld herausnehmen; aber
ein süßer Duft schlug ihm entgegen; das heimelte
ihn an, das roch wie zu Haus der Mutter Weih-
nachtsstube. Mit zitternder Hand zündete er sein
Licht an; da lag ein mächtiges Packet auf dem Tisch,
und als er es öffnete, fielen die wohlbekannten
braunen Festkuchen heraus; auf einigen waren die
Anfangsbuchstaben seines Namens in Zucker ausge-
streut; das konnte Niemand anders als Elisabeth
gethan haben. Dann kam ein Päckchen mit feiner
gestickter Wäsche zum Vorschein, Tücher und
Manschetten, zuletzt Briefe von der Mutter und von
Elisabeth. Reinhardt öffnete zuerst den letzteren;
Elisabeth schrieb:

„Die schönen Zuckerbuchstaben können
Dir wohl erzählen, wer bei den Kuchen
mitgeholfen hat; dieselbe Person hat die
Manschetten für Dich gestickt. Bei uns wird

es nun Weihnachtabend sehr still werden;
meine Mutter stellt immer schon um halb
zehn ihr Spinnrad in die Ecke; es ist gar so
einsam diesen Winter, wo Du nicht hier
bist. Nun ist auch vorigen Sonntag der
Hänfling gestorben, den Du mir geschenkt
hattest; ich habe sehr geweint, aber ich hab'
ihn doch immer gut gewartet. Der sang
sonst immer Nachmittags, wenn die Sonne
auf sein Bauer schien; Du weißt, die Mutter
hing oft ein Tuch über, um ihn zu geschweigen, wenn er so recht aus Kräften sang. Da
ist es nun noch stiller in der Kammer, nur
daß Dein alter Freund Erich uns jetzt mitunter besucht. Du sagtest einmal, er sähe
seinem braunen Ueberrock ähnlich. Daran
muß ich nun immer denken, wenn er zur
Thür hereinkommt, und es ist gar zu
komisch; sag' es aber nicht zur Mutter, sie
wird dann leicht verdrießlich. – Rath', was
ich Deiner Mutter zu Weihnachten schen-
ke! Du räthst es nicht? Mich selber! Der
Erich zeichnet mich in schwarzer Kreide;
ich habe ihm schon drei Mal sitzen müssen,
jedes Mal eine ganze Stunde. Es war mir
recht zuwider, daß der fremde |68| Mensch
mein Gesicht so auswendig lernte. Ich
wollte auch nicht, aber die Mutter redete

mir zu; sie sagte, es würde der guten Frau
Werner eine gar große Freude machen.

„Aber Du hältst nicht Wort, Reinhardt. Du
hast keine Märchen geschickt. Ich habe
Dich oft bei Deiner Mutter verklagt; sie sagt
dann immer, Du habest jetzt mehr zu thun,
als solche Kindereien. Ich glaub' es aber
nicht; es ist wohl anders."

Nun las Reinhardt auch den Brief seiner Mutter, und
als er beide Briefe gelesen und langsam wieder
zusammengefaltet und weggelegt hatte, überfiel ihn
unerbittliches Heimweh. Er ging eine Zeitlang in
seinem Zimmer auf und nieder; er sprach leise und
dann halbverständlich zu sich selbst:

„Er wäre fast verirret
Und wußte nicht hinaus;
Da stand das Kind am Wege
Und winkte ihm nach Haus!"

Dann trat er plötzlich an sein Pult, nahm das Geld
heraus und ging wieder auf die Straße hinab. Hier
war es mittlerweile stiller geworden, die Umzüge
der Kinder hatten aufgehört, der Wind fegte durch
die einsamen Straßen, Alte und Junge saßen in ihren
Häusern familienweise zusammen. Auch die Weih-
nachtsbäume hatten ausgebrannt; nur aus einem
Fenster brach noch ein heller Kerzenschein in das
Dunkel hinaus. Reinhardt stand still und suchte auf
den Fußspitzen einen Blick in das Zimmer zu

gewinnen; aber es waren hohe Läden vor den
Fenstern, er sah nur die Spitze des Tannenbaumes
mit der Knittergoldfahne und die obersten Kerzen.
Er fühlte etwas wie Reue oder Schmerz, es war ihm,
als gehöre er zum ersten Male nicht mehr dazu. Die
Kinder da drinnen aber wußten nichts von ihm, sie
ahnten es nicht, daß draußen Jemand, wie er es
zuvor von hungrigen Bettelkindern gesehen hatte,
auf das Treppengeländer geklettert war und sehn-
süchtig in ihre Freude wie in ein verlorenes Paradies
hineinsah. Zwar hatte ihm in den letzten Jahren
seine Mutter keinen Baum mehr aufgeputzt; aber
sie waren dann immer zu Elisabeths Mutter hin-
übergegangen. Elisabeth hatte noch jedes Jahr einen
Weihnachtsbaum erhalten und Reinhardt hatte
immer das Beste dabei gethan. Am Vorabende hatte
man immer den großen Menschen auf's eifrigste
damit beschäftigt finden können, Papiernetze und
Flittergold auszuschneiden, Kerzen anzubrennen,
Eier und Mandeln zu vergolden und was sonst noch
zu den goldnen Geheimnissen des Weihnachts-
baums gehörte. |69| Wenn dann am folgenden
Abend der Baum angezündet war, so lag auch
immer ein kleines Geschenk von Reinhardt darunter, gewöhnlich ein farbig gebundenes Buch, das
letzte Mal das sauber geschriebene Heft seiner
eigenen Märchen. Dann pflegten die beiden Fami-
lien zusammen zu bleiben, und Reinhardt las ihnen

aus Elisabeths neuen Weihnachtsbüchern vor. So trat allmählig ein Bild des eignen Lebens an die Stelle des fremden, das vor seinen Augen stand; erst als in der Stube die Kerzen ausgeputzt wurden, verschwanden beide. Drinnen wurden Zimmerthüren auf- und zugeschlagen, Tische und Stühle zusammengerückt; der zweite Abschnitt des Weihnachtsabends begann. – Reinhardt verließ seinen kalten Sitz und setzte seinen Weg fort. Als er in die Nähe des Rathskellers kam, hörte er aus der Tiefe die rostige Stimme des Dicken die Karten beim Landsknecht aufrufen, dazu Geigenstrich und den Gesang der Zittermädchen; nun klingelte unten die Kellerthür, und eine dunkle, taumelnde Gestalt schwankte die breite, matt erleuchtete Treppe herauf. Reinhardt ging rasch vorüber; dann trat er in den erleuchteten Laden eines Juweliers; und nachdem er ein kleines Kreuz von rothen Korallen eingehandelt hatte ging er auf demselben Wege, den er gekommen war, wieder zurück. – Nicht weit von seiner Wohnung bemerkte er ein kleines, in klägliche Lumpen gehülltes Mädchen an einer hohen Hausthür stehen, in vergeblicher Bemühung sie zu öffnen. „Soll ich Dir helfen?" sagte Reinhardt. Das Kind erwiederte nichts, ließ aber die schwere Thürklinke fahren. Reinhardt hatte schon die Thür geöffnet. „Nein," sagte er, „sie könnten Dich hinausjagen; komm mit mir! Ich will Dir Weihnachtskuchen geben." Dann

machte er die Thüre wieder zu und faßte das kleine
Mädchen an der Hand, das stillschweigend mit ihm
in seine Wohnung ging. Er hatte das Licht beim
Weggehen brennen lassen. „Hier hast Du Kuchen,"
sagte er, und gab ihr die Hälfte seines ganzen Schat-
zes in ihre Schürze, nur keine mit den Zuckerbuchstaben. „Nun geh' nach Haus und gieb Deiner
Mutter auch davon." Das Kind sah mit einem scheu-
en Blick zu ihm hinauf; es schien solcher Freund-
lichkeit ungewohnt und nichts darauf erwiedern zu
können. Reinhardt machte die Thür auf und leuch-
tete ihr, und nun flog die Kleine wie ein Vogel mit
ihren Kuchen die Treppe hinab und zum Hause
hinaus.

Reinhardt schürte das Feuer in seinem Ofen an
und stellte das bestaubte Dintenfaß auf seinen Tisch;
dann setzte er sich hin und schrieb, und schrieb die
ganze Nacht Briefe an seine Mutter, an Elisabeth.
Der Rest der Weihnachtskuchen lag unberührt
neben ihm; aber die |70| Manschetten von Elisabeth
hatte er angeknüpft, was sich gar wunderlich zu
seinem weißen Flaußrock ausnahm. So saß er noch,
als die Wintersonne auf die gefrorenen Fensterscheiben fiel und ihm gegenüber im Spiegel ein
blasses, ernstes Antlitz zeigte.

Als es Ostern geworden war, reiste Reinhardt in die
Heimath. Am Morgen nach seiner Ankunft ging er
zu Elisabeth. „Wie groß Du geworden bist!" sagte er,
als das schöne schmächtige Mädchen ihm lächelnd
entgegenkam. Sie erröthete, aber sie erwiederte
nichts; ihre Hand, die er beim Willkommen in die
seine genommen, suchte sie ihm sanft zu entziehen.
Er sah sie zweifelnd an, das hatte sie früher nicht
gethan; nun war es, als trete etwas Fremdes
zwischen sie. – Das blieb auch, als er schon länger
da gewesen, und als er Tag für Tag immer wieder-
gekommen war. Wenn sie allein zusammen saßen,
entstanden Pausen, die ihm peinlich waren und
denen er dann ängstlich zuvorzukommen suchte.
Um eine bestimmte Unterhaltung zu haben, brach-
te er in Vorschlag, Elisabeth während der Ferienzeit
in der Botanik zu unterrichten, womit er sich in den
ersten Monaten seines Universitätslebens angele-
gentlich beschäftigt hatte. Elisabeth, die ihm in
Allem zu folgen gewohnt und überdies lehrhaft war,
ging bereitwillig darauf ein. Nun wurden mehrere
Male in der Woche Excursionen in's Feld oder in die
Haiden gemacht, und hatten sie dann Mittags die
grüne Botanisirkapsel voll Kraut und Blumen nach
Hause gebracht, so kam Reinhardt einige Stunden
später wieder, um mit Elisabeth den gemeinschaft-
lichen Fund zu ordnen und zu theilen.

In solcher Absicht trat er eines Nachmittags in's

Zimmer, als Elisabeth am Fenster stand und ein vergoldetes Vogelbauer, das er sonst nicht dort gesehen, mit frischem Hühnerschwarm besteckte. Im Bauer saß ein Kanarienvogel, der mit den Flügeln schlug und kreischend nach Elisabeths Fingern pickte. Sonst hatte Reinhardts Vogel an dieser Stelle gehangen. „Hat mein armer Hänfling sich nach seinem Tode in einen Goldfinken verwandelt?" fragte Reinhardt heiter.

„Das pflegen die Hänflinge nicht," sagte die Mutter, welche spinnend im Lehnstuhl saß. „Ihr Freund Erich hat ihn heut' Mittag für Elisabeth von seinem Hofe hereingeschickt."

„Von welchem Hofe?"

„Das wissen Sie nicht?"

„Was denn?"

|71| „Daß Erich seit einem Monat den zweiten Hof seines Vaters am Immensee angetreten hat?"

„Aber Sie haben mir kein Wort davon gesagt."

„Ei," sagte die Mutter, „Sie haben sich auch noch mit keinem Worte nach Ihrem Freunde erkundigt. Er ist ein gar lieber, verständiger junger Mann."

Die Mutter ging hinaus, um den Kaffee zu besorgen; Elisabeth hatte Reinhardten den Rücken zugewandt und war noch mit dem Bau ihrer kleinen Laube beschäftigt. „Bitte, nur ein kleines Weilchen," sagte sie, „gleich bin ich fertig." Da Reinhardt wider seine Gewohnheit nicht antwortete, so wandte sie sich um. In seinen Augen lag ein plötzlicher Ausdruck von Kummer, den sie nie darin gewahrt hatte. „Was fehlt Dir, Reinhardt?" fragte sie, indem sie nahe zu ihm trat.

„Mir?" sagte er gedankenlos und ließ seine Augen träumerisch in den ihren ruhen.

„Du siehst so traurig aus."

„Elisabeth," sagte er zitternd, „ich kann den gelben Vogel nicht leiden."

Sie sah ihn staunend an, sie verstand ihn nicht. „Du bist so sonderbar." sagte sie.

Er nahm ihre beiden Hände, die sie ruhig in den seinen ließ. Bald trat die Mutter wieder herein.

Nach dem Kaffee setzte diese sich an ihr Spinnrad; Reinhardt und Elisabeth gingen in's Nebenzimmer, um ihre Pflanzen zu ordnen. Nun wurden Staubfäden gezählt, Blätter und Blüthen sorgfältig ausgebreitet und von jeder Art zwei Exemplare zum Trocknen zwischen die Blätter eines großen Folianten gelegt. Es war sonnige Nachmittagsstille, nur nebenan schnurrte der Mutter Spinnrad und von Zeit zu Zeit wurde Reinhardts gedämpfte Stimme gehört, wenn er die Ordnungen und Klassen der Pflanzen nannte oder Elisabeths ungeschickte Aussprache der lateinischen Namen corrigirte.

„Mir fehlt noch von neulich die Maiblume." sagte sie jetzt, als der ganze Fund bestimmt und geordnet war.

Reinhard[t], zog einen kleinen weißen Pergamentband aus der Tasche. „Hier ist ein Maiblumen-
stengel für Dich." sagte er, indem er die halbge-
trocknete Pflanze herausnahm.

Als Elisabeth die beschriebenen Blätter sah, fragte
sie: „Hast Du wieder Märchen gedichtet?"

„Es sind keine Märchen." antwortete er und reichte ihr das Buch.

|72| Es waren lauter Verse, die meisten füllten
höchstens eine Seite. Elisabeth wandte ein Blatt nach
dem andern um; sie schien nur die Ueberschriften
zu lesen. „Als sie vom Schulmeister gescholten war";
„Als sie sich im Walde verirrt hatten"; „Mit den
Ostermärchen"; „Als sie mir zum ersten Mal geschrieben hatte"; in der Weise lauteten fast alle.
Reinhardt blickte forschend zu ihr hin, und indem
sie immer weiter blätterte, sah er, wie zuletzt auf
ihrem klaren Antlitz ein zartes Roth hervorbrach
und es allmählig ganz überzog. Er wollte ihre Augen
sehen; aber Elisabeth sah nicht auf und legte das
Buch am Ende schweigend vor ihm hin.

„Gieb es mir nicht so zurück!" sagte er.

Sie nahm ein braunes Reis aus der Blechkapsel.
„Ich will Dein Lieblingskraut hineinlegen." sagte sie,
und gab ihm das Buch in seine Hände. – –

Endlich kam der letzte Tag der Ferienzeit und der
Morgen der Abreise. Auf ihre Bitte erhielt Elisabeth
von der Mutter die Erlaubniß, ihren Freund an den

Postwagen zu begleiten, der einige Straßen von ihrer Wohnung seine Station hatte. Als sie vor die Hausthür traten, gab Reinhardt ihr den Arm; so ging er schweigend neben dem schlanken Mädchen her. Je näher sie ihrem Ziele kamen, desto mehr war es ihm, er habe ihr, ehe er auf so lange Abschied nehme, etwas Nothwendiges mitzutheilen, etwas, wovon aller Werth und alle Lieblichkeit seines künftigen Lebens abhänge, und doch konnte er sich des erlösenden Wortes nicht bewußt werden. Das ängstigte ihn; er ging immer langsamer.

„Du kommst zu spät," sagte sie, „es hat schon zehn geschlagen auf St. Marien."

Er ging aber darum nicht schneller. Endlich sagte er stammelnd: „Elisabeth, Du wirst mich nun in zwei Jahren gar nicht sehen – – wirst Du mich wohl noch eben so lieb haben, wie jetzt, wenn ich wieder da bin?"

Sie nickte und sah ihm freundlich in's Gesicht. – „Ich habe Dich auch vertheidigt." sagte sie nach einer Pause.

„Mich? Gegen wen hattest Du das nöthig?"

„Gegen meine Mutter. Wir sprachen gestern Abend, als Du weggegangen warst, noch lange über Dich. Sie meinte, Du sei'st nicht mehr so gut, wie Du gewesen."

Reinhardt schwieg einen Augenblick betroffen; dann aber nahm er ihre Hand in die seine, und

indem er ihr ernst in ihre Kinderaugen |73| blickte,
sagte er: „Ich bin noch eben so gut, wie ich gewesen
bin; glaube Du das nur fest. Glaubst Du es Elisabeth?"

„Ja." sagte sie. Er ließ ihre Hand los und ging rasch
mit ihr durch die letzte Straße. Je näher ihm der
Abschied kam, desto freudiger ward sein Gesicht; er
ging ihr fast zu schnell.

„Was hast Du, Reinhardt?" fragte sie.

„Ich habe ein Geheimniß, ein schönes!" sagte er
und sah sie mit leuchtenden Augen an. „Wenn ich
nach zwei Jahren wieder da bin, dann sollst Du es
erfahren."

Mittlerweile hatten sie den Postwagen erreicht; es
war noch eben Zeit genug. Noch einmal nahm
Reinhardt ihre Hand. „Leb' wohl!" sagte er, „leb'
wohl, Elisabeth. Vergiß es nicht!"

Sie schüttelte mit dem Kopf. „Leb' wohl!" sagte
sie. Reinhardt stieg hinein und die Pferde zogen an.
Als der Wagen um die Straßenecke rollte, sah er
noch einmal ihre liebe Gestalt, wie sie langsam den
Weg zurückging.

———————

Fast zwei Jahre nachher saß Reinhardt vor seiner
Lampe zwischen Büchern und Papieren in Erwar-
tung eines Freundes, mit welchem er gemeinschaft-

liche Studien übte. Man kam die Treppe herauf. „Herein!" – Es war die Wirthin. „Ein Brief für Sie, Herr Werner!" Dann entfernte sie sich wieder.

Reinhardt hatte seit seinem Besuche in der Heimath nicht an Elisabeth geschrieben und von ihr keinen Brief mehr erhalten. Auch dieser war nicht von ihr; es war die Hand seiner Mutter. Reinhardt brach und las, und bald las er Folgendes:

„In Deinem Alter, mein liebes Kind, hat noch fast jedes Jahr sein eigenes Gesicht; denn die Jugend läßt sich nicht ärmer machen. Hier ist auch Manches anders geworden, was Dir wohl erstan weh' thun wird, wenn ich Dich anders recht verstanden habe. Erich hat sich gestern endlich das Jawort von Elisabeth geholt, nachdem er in dem letzten Vierteljahr zweimal vergebens angefragt hatte. Sie hat sich immer nicht dazu entschließen können; nun hat sie es endlich doch gethan; sie ist auch noch gar so jung. Die Hochzeit soll bald sein, und die Mutter wird dann mit ihnen fortgehen."

––––––––

Wiederum waren Jahre vorüber. – Auf einem abwärts führenden schattigen Waldwege wanderte an einem warmen Frühlingsnachmittage |74| ein junger Mann mit kräftigem, gebräuntem Antlitz. Mit seinen ernsten grauen Augen sah er gespannt in die Ferne, als erwarte er endlich eine Veränderung des einförmigen Weges, die jedoch immer nicht eintreten wollte. Endlich kam ein Karrenfuhrwerk langsam von unten herauf. „Holla! guter Freund," rief der Wanderer dem nebengehenden Bauer zu, „geht's hier recht nach Immensee?"

„Immer gerad' aus." antwortete der Mann, und rückte an seinem Rundhute.

„Hat's denn noch weit bis dahin?"

„Der Herr ist dichte vor. Keine halbe Pfeif' Toback, so haben's den See; das Herrenhaus liegt hart daran."

Der Bauer fuhr vorüber; der Andere ging eiliger unter den Bäumen entlang. Nach einer Viertelstunde hörte ihm zur Linken plötzlich der Schatten auf; der Weg führte an einen Abhang, aus dem die Gipfel hundertjähriger Eichen nur kaum hervorragten. Ueber sie hinweg öffnete sich eine weite, sonnige Landschaft. Tief unten lag der See, ruhig, dunkelblau, fast ringsum von grünen, sonnbeschienenen Wäldern umgeben, nur an einer Stelle traten sie auseinander und gewährten eine tiefe Fernsicht, bis auch diese durch blaue Berge geschlossen wurde. Queer gegenüber, mitten in dem grünen Laub der Wälder, lag es wie Schnee darüber her; das waren blühende Obstbäume, und daraus hervor auf dem hohen Ufer erhob sich das Herrenhaus, weiß mit rothen Ziegeln. Ein Storch flog vom

Schornstein auf und kreis'te langsam über dem
Wasser. – „Immensee!" rief der Wanderer. Es war
fast, als hätte er jetzt das Ziel seiner Reise erreicht;
denn er stand unbeweglich und sah über die Gipfel
der Bäume zu seinen Füßen hinüber an's andre
Ufer, wo das Spiegelbild des Herrenhauses leise
schaukelnd auf dem Wasser schwamm. Dann setzte
er plötzlich seinen Weg fort.

Es ging jetzt fast steil den Berg hinab, so daß die
untenstehenden Bäume wieder Schatten gewährten,
zugleich aber die Aussicht auf den See verdeckten,
der nur zuweilen zwischen den Lücken der Zweige
hindurchblitzte. Bald ging es wieder sanft empor, und
nun verschwand rechts und links die Hölzung; statt
dessen streckten sich dichtbelaubte Weinhügel am
Wege entlang; zu beiden Seiten desselben standen
blühende Obstbäume voll summender, wühlender
Bienen. Ein stattlicher Mann in braunem Ueberrock
kam dem Wanderer entgegen. Als er ihn fast erreicht
hatte, schwenkte er seine Mütze und rief mit heller
|75| Stimme: „Willkommen, willkommen, Bruder
Reinhardt! Willkommen auf Gut Immensee!"

„Gott grüß Dich, Erich, und Dank für Dein Willkommen!" rief ihm der Andre entgegen.

Dann waren sie zu einander gekommen und
reichten sich die Hände. „Bist Du es denn aber
auch?" sagte Erich, als er so nahe in das ernste Gesicht seines alten Schulkameraden sah.

„Freilich bin ich's, Erich, und Du bist es auch; „nur siehst Du noch fast heiterer aus, als Du schon sonst immer gethan hast."

Ein frohes Lächeln machte Erichs einfache Züge bei diesen Worten noch um Vieles heiterer. „Ja, Bruder Reinhardt," sagte er, diesem noch einmal seine Hand reichend, „ich habe aber auch seitdem das große Loos gezogen; Du weißt es ja." Dann rieb er sich die Hände und rief vergnügt: „Das wird eine Ueberraschung! Den erwartet sie nicht, in alle Ewigkeit nicht!"

„Eine Ueberraschung?" fragte Reinhardt. „Für wen denn?"

„Für Elisabeth."

„Elisabeth! Du hast ihr nicht von meinem Besuch gesagt?"

„Kein Wort, Bruder Reinhardt; sie denkt nicht an Dich, die Mutter auch nicht. Ich hab' Dich ganz im Geheim verschrieben, damit die Freude desto größer sei. Du weißt, ich hatte immer so meine stillen Plänchen."

Reinhardt wurde nachdenklich; der Athem schien ihm schwer zu werden, je näher sie dem Hofe kamen. An der linken Seite des Weges hörten nun auch die Weingärten auf und machten einem weitläuftigen Küchengarten Platz, der sich bis fast an das Ufer des See's hinabzog. Der Storch hatte sich mittlerweile niedergelassen und spazierte gravitä-

tisch zwischen den Gemüsebeeten umher. „Holla!"
rief Erich, in die Hände klatschend, „stiehlt mir der
hochbeinige Aegypter wieder meine kurzen Erbsen-
stangen!" Der Vogel erhob sich langsam und flog auf
das Dach eines neuen Gebäudes, das am Ende des
Küchengartens lag und dessen Mauern mit aufge-
bundenen Pfirsich- und Aprikosenbäumen über-
zweigt waren. „Das ist die Spritfabrik," sagte Erich;
„ich habe sie erst vor zwei Jahren angelegt. Die
Wirthschaftsgebäude hat mein Vater selig neu
aufsetzen lassen; das Wohnhaus ist schon von meinem Großvater gebaut worden. So kommt man
immer ein bischen weiter."

Sie waren bei diesen Worten auf einen geräumigen Platz gekommen, der an den Seiten durch die
ländlichen Wirthschaftsgebäude, im |76| Hinter-
grunde durch das Herrenhaus begränzt wurde, an
dessen beide Flügel sich eine hohe Gartenmauer
anschloß; hinter dieser sah man die Züge dunkler
Taxuswände, und hin und wieder ließen Syringenbäume ihre blühenden Zweige in den Hofraum
hinunterhängen. Männer mit sonnen- und arbeits-
heißen Gesichtern gingen über den Platz und
grüßten die Freunde, während Erich dem einen und
dem andern einen Auftrag oder eine Frage über ihr
Tagewerk entgegenrief. – Dann hatten sie das Haus
erreicht. Eine hohe, kühle Hausflur nahm sie auf, an
deren Ende sie links in einen etwas dunkleren

Seitengang einbogen. Hier öffnete Erich eine Thür,
und sie traten in einen geräumigen Gartensaal, der
durch das Laubgedränge, welches die gegenüberliegenden Fenster bedeckte, zu beiden Seiten mit
grüner Dämmerung erfüllt war; zwischen diesen
aber ließen zwei hohe, weitgeöffnete Flügelthüren
den vollen Glanz der Frühlingssonne hereinfallen
und gewährten die Aussicht in einen Garten mit
gezirkelten Blumenbeeten und hohen steilen Laub-
wänden, getheilt durch einen geraden breiten Gang,
durch welchen man auf den See und weiter auf die
gegenüberliegenden Wälder hinaussah. Als die
Freunde hineintraten, trug die Zugluft ihnen einen
Strom von Duft entgegen.

Auf einer Terrasse vor der Gartenthür saß eine
weiße, mädchenhafte Frauengestalt. Sie stand auf
und ging den Eintretenden entgegen; aber auf
halbem Wege blieb sie eingewurzelt stehen und
starrte den Fremden unbeweglich an. Er streckte ihr
lächelnd die Hand entgegen. „Reinhardt!" rief sie,
„Reinhardt! Mein Gott, Du bist es! – Wir haben uns
lange nicht gesehen."

„Lange nicht." sagte er und konnte nichts weiter
sagen; denn als er ihre Stimme hörte, fühlte er einen
feinen körperlichen Schmerz am Herzen, und wie
er zu ihr aufblickte, stand sie vor ihm, dieselbe leich-
te zärtliche Gestalt, der er vor Jahren in seiner Vater-
stadt Lebewohl gesagt hatte.

Erich war mit freudestrahlendem Antlitz an der
Thür zurückgeblieben. „Nun, Elisabeth," sagte er,
„hab' ich Dir den rechten Gast für unser neues
Gastzimmer verschrieben? Gelt! den hättest Du
nicht erwartet, den in alle Ewigkeit nicht!"

Elisabeth sah ihn mit schwesterlichen Augen an.
„Du bist so gut, Erich!" sagte sie.

Er nahm ihre schmale Hand liebkosend in die
seinen. „Und nun wir ihn haben, sagte er, nun lassen
wir ihn sobald nicht wieder los. Er |77| ist so lange
da draußen gewesen; wir wollen ihn wieder
heimisch machen.

Schau' nur, wie fremd und vornehm er aussehen
worden ist."

Ein scheuer Blick Elisabeths streifte Reinhardts
Antlitz. „Es ist nur die Zeit, die wir nicht beisam-
men waren." sagte er.

In diesem Augenblicke kam die Mutter, mit
einem Schlüsselkörbchen am Arm, zur Thüre herein.
„Herr Werner!" sagte sie, als sie Reinhardt erblickte;
„ei, ein eben so lieber, als unerwarteter Gast." – Und
nun ging die Unterhaltung in Fragen und Antworten ihren ebenen Tritt. Die Frauen setzten sich zu
ihrer Arbeit, und während Reinhardt die für ihn
bereiteten Erfrischungen genoß, hatte Erich seinen
soliden Meerschaumkopf angebrannt und saß
dampfend und discurrirend an seiner Seite.

Am andern Tage mußte Reinhardt mit ihm

hinaus; auf die Aecker, in die Weinberge, in den
Hopfengarten, in die Spritfabrik. Es war Alles wohl
bestellt; die Leute, welche auf dem Felde und bei
den Kesseln arbeiteten, hatten alle ein gesundes und
zufriedenes Aussehen. Zu Mittag kam die Familie
im Gartensaal zusammen, und der Tag wurde dann,
je nach der Muße der Wirthe, mehr oder minder
gemeinschaftlich verlebt. Nur die Stunden vor dem
Abendessen, wie die ersten des Vormittags, blieb
Reinhardt arbeitend auf seinem Zimmer. – Elisabeth
war zu allen Zeiten sanft und freundlich; Erichs
immer gleichbleibende Aufmerksamkeit nahm sie
mit einer fast demüthigen Dankbarkeit auf, und
Reinhardt dachte mitunter, das heitere Kind von
ehedem habe wohl eine weniger stille Frau verspro-
chen.

Seit dem zweiten Tage seines Hierseins pflegte er
spät Abends einen Spaziergang an dem Ufer des
See's zu machen. Der Weg führte hart unter dem
Garten vorbei. Am Ende desselben, auf einer
vorspringenden Bastei, stand eine Bank unter hohen
Birken; die Mutter hatte sie „die Abendbank" ge-
tauft, weil der Platz gegen Abend lag und des
Sonnenuntergangs halber um diese Zeit am meisten
benutzt wurde. – Von einem Spaziergange auf
diesem Wege kehrte Reinhardt eines Abends
zurück, als er vom Regen überrascht wurde. Er
suchte Schutz unter einer am Wasser stehenden

Linde; aber die schweren Tropfen schlugen bald
durch die Blätter. Durchnäßt, wie er war, ergab er
sich darein und setzte langsam seinen Rückweg fort.
Es war fast dunkel; der Regen fiel immer dichter. Als
er sich der Abendbank näherte, glaubte er, zwischen
den schimmernden Birkenstämmen eine weiße
Frauengestalt zu unterscheiden. Sie stand unbeweglich und, wie er beim Näherkommen zu erkennen
meinte, zu ihm hingewandt, als |78| wenn sie ihn
erwarte. Er glaubte, es sei Elisabeth. Als er aber
rascher zuschritt, um sie zu erreichen und dann mit
ihr zusammen durch den Garten in's Haus zurück-
zukehren, wandte sie sich langsam ab und verschwand in die dunkeln Seitengänge. Er konnte das
nicht reimen, er war fast zornig auf Elisabeth und
dennoch zweifelte er, ob sie es gewesen sei; aber er
scheute sich, sie danach zu fragen, ja, er ging bei
seiner Rückkehr nicht in den Gartensaal, nur um
Elisabeth nicht etwa durch die Gartenthür herein-
treten zu sehen.

––––––––––

Einige Tage nachher, es ging schon gegen Abend, saß
die Familie, wie gewöhnlich um diese Zeit, im
Gartensaal zusammen. Reinhardt erzählte von seinen Reisen: „Sie leben noch immer träumerisch in
dem Glanz der alten Zeiten," sagte er. „Der Tag ging

zu Ende, da wir uns durch einen nackten, schwarz-
äugigen Buben nach Venedig übersetzen ließen. Als
nun im letzten Sonnenglanz die leuchtende Stadt aus
dem Wasser aufstieg, da mußte ich, von ihrer Schönheit bewältigt, sie laut in ihrer eigenen Sprache
begrüßen: „„O bella Venezia!'" rief ich, die Arme
ausstreckend. Der Knabe sah mich trotzig an und
hielt im Rudern inne. „„E dominante!'" sagte er stolz
und tauchte die Ruder wieder ein. Dann stimmte er
eins von jenen Liedern an, die dort ewig neu entste-
hen und, bis wieder neuere sie ablösen, von allen
Kehlen gesungen werden. Das Ritornell am Ende
jeder Strophe ließ er langsam, wie rufend, über den
Wasserspiegel hinausschallen. Der Inhalt dieser
Lieder ist meist ein sehr anmuthiger."

„Dann," sagte die Mutter, „müssen sie anders sein,
als die deutschen. Was hier die Leute bei der Arbeit
singen, ist eben nicht für verwöhnte Ohren."

„Sie haben zufällig eins der schlechtern gehört."
sagte Reinhardt. „Das darf uns nicht irre machen.
Das Volkslied ist wie das Volk, es theilt seine Schönheit, wie seine Gebrechen, bald grob, bald zierlich,
lustig und traurig, närrisch und von seltsamer Tiefe.
Ich habe manche davon aufgezeichnet, noch auf
dieser letzten Wanderung."

Nun wurde Reinhardt um Mittheilung des
Manuscripts gebeten; er ging auf sein Zimmer und
kam gleich darauf mit einer Papierrolle zurück,

welche aus einzelnen flüchtig zusammengeschrie-
benen Blättern bestand. Man setzte sich an den
Tisch, Elisabeth an Reinhardts Seite, und dieser las
nun zuerst einige Tyroler Schnaderhüpferl, indem
er beim Lesen je zuweilen die lustigen Melodien mit
halber Stimme an|79|klingen ließ. Eine allgemeine
Heiterkeit bemächtigte sich der kleinen Gesellschaft.
„Wer hat denn aber die schönen Lieder gemacht?"
fragte Elisabeth.

„Ei," sagte Erich, der bisher in behaglichem Zu-
hören seinen Meerschaumkopf geraucht hatte, „das
hört man den Dingern schon an, Schneidergesellen
und Friseure! und derlei luftiges Gesindel."

Reinhardt las hierauf das tiefsinnige „Ich stand auf
hohen Bergen". Elisabeth kannte die Melodie, die so
räthselhaft ist, daß man nicht glauben kann, sie sei
von Menschen erdacht worden. Beide sangen nun
das Lied gemeinschaftlich, Elisabeth mit ihrer etwas
verdeckten Altstimme dem Tenor secondirend. „Das
sind Urtöne, sagte Reinhardt; sie schlafen in Waldes-
gründen. Gott weiß, wer sie gefunden hat." Dann las
er das Lied des Heimwehs „Zu Straßburg auf der
Schanz".

„Nein," sagte Erich, „das kann doch wohl kein
Schneidergesell gemacht haben."

Reinhardt sagte: „Sie werden gar nicht gemacht;
sie wachsen, sie fallen aus der Luft, sie fliegen über
Land wie Mariengarn, hierhin und dorthin, und

werden an tausend Stellen zugleich gesungen. Unser eigenstes Thun und Leiden finden wir in diesen Liedern, es ist, als ob wir alle an ihnen mitgeholfen hätten." Er nahm ein anderes Blatt. „Dies Lied," sagte er, „habe ich im vorigen Herbste in der Gegend unsrer Heimath gehört. Die Mädchen sangen es beim Flachsbrechen; die Melodie habe ich nicht behalten können, sie war mir völlig unbekannt."

Es war schon dunkler geworden; ein rother Abendschein lag wie Schaum auf den Wäldern jenseits des See's. Reinhardt rollte das Blatt auf, Elisabeth legte an der einen Seite ihre Hand darauf und sah mit hinein. Dann las Reinhardt:

> „Meine Mutter hat's gewollt,
> Den Andern ich nehmen sollt';
> Was ich zuvor besessen,
> Mein Herz sollt' es vergessen;
> Das hat es nicht gewollt.

> Meine Mutter klag' ich an,
> Sie hat nicht wohlgethan;
> Was sonst in Ehren stünde,
> Nun ist es worden Sünde.
> Was fang' ich an!

> |80| Für all' mein Stolz und Freud'
> Gewonnen hab' ich Leid.

Ach, wär' das nicht geschehen,
Ach, könnt' ich betteln gehen
Ueber die braune Haid'!"

Während des Lesens hatte Reinhardt ein unmerkli-
ches Zittern des Papiers empfunden; als er zu Ende
war, schob Elisabeth leise ihren Stuhl zurück und
ging schweigend in den Garten hinab. Ein strenger
Blick der Mutter folgte ihr. Erich wollte nachgehen;
doch die Mutter sagte: „Elisabeth hat draußen zu
thun." So unterblieb es.

Draußen aber legte sich der Abend mehr und
mehr über Garten und See, die Nachtschmetterlin-
ge schossen surrend an den offenen Thüren vorüber,
durch welche der Duft der Blumen und Gesträuche
immer stärker hereindrang; vom Wasser herauf kam
das Geschrei der Frösche, unter den Fenstern schlug
eine Nachtigal, tiefer im Garten eine andere; der
Mond sah über die Bäume. Reinhardt blickte noch
eine Weile auf die Stelle, wo Elisabeths feine Gestalt
zwischen den Laubgängen verschwunden war; dann
rollte er sein Manuscript zusammen und ging mit
der Bemerkung, daß er seinen Abendspaziergang
machen wolle, durch's Haus an das Wasser hinab.

Die Wälder standen schweigend und warfen ihr
Dunkel weit auf den See hinaus, während die Mitte
desselben in schwüler Mondesdämmerung lag.
Mitunter schauerte ein leises Säuseln durch die

Bäume; aber es war kein Wind, es war nur das Athmen der Sommernacht. Reinhardt ging immer am Ufer entlang. Einen Steinwurf vom Lande konnte er eine weiße Wasserlilie erkennen. Auf einmal wandelte ihn die Lust an, sie in der Nähe zu sehen; er warf seine Kleider ab, und stieg in's Wasser. Es war flach, scharfe Pflanzen und Steine schnitten ihn an den Füßen und er kam immer nicht in die zum Schwimmen nöthige Tiefe. Dann war es plötzlich unter ihm weg, die Wasser quirlten über ihm zusammen und es dauerte eine Zeitlang, ehe er wieder auf die Oberfläche kam. Nun regte er Hand und Fuß und schwamm im Kreise umher, bis er sich bewußt geworden, von wo er hineingegangen war. Bald sah er auch die Lilie wieder; sie lag einsam zwischen den großen blanken Blättern. – Er schwamm langsam hinaus und hob mitunter die Arme aus dem Wasser, daß die herabrieselnden Tropfen im Mondlicht blitzten; aber es war, als ob die Entfernung zwischen ihm und der Blume dieselbe bliebe; nur das Ufer lag, wenn er sich umblickte, in immer ungewisserem Dufte hinter ihm. Er gab indeß sein Unternehmen |81| deshalb nicht auf, sondern schwamm rüstig in derselben Richtung fort. Endlich war er der Blume so nahe gekommen, daß er die silbernen Blätter deutlich im Mondlicht unterscheiden konnte; zugleich aber fühlte er sich in einem Gewirr von Wasserpflanzen wie in einem Netze verstrickt, die

glatten Stengel langten vom Grunde herauf und
rankten sich an seine nackten Glieder. Das un-
bekannte Wasser lag so schwarz um ihn her, hinter
sich hörte er das Springen eines Fisches; es wurde
ihm plötzlich so unheimlich in dem fremden
Elemente, daß er mit Gewalt das Gestrick der Pflanzen zerriß und in athemloser Hast dem Lande zu-
schwamm. Als er von hier auf den See zurückblick-
te, lag die Lilie wie zuvor fern und einsam über der
dunklen Tiefe. – Er kleidete sich an, und ging
langsam nach Hause zurück. Bei seinem Eintritt in
den Gartensaal fand er Erich und die Mutter in den
Vorbereitungen einer kleinen Geschäftsreise, welche
am andern Tage vor sich gehen sollte.

„Wen haben Sie denn so spät in der Nacht
besucht?" rief ihm die Mutter entgegen.

„Ich?" erwiderte er, „ich wollte die Wasserlilie
besuchen; es ist aber nichts daraus geworden."

„Das versteht wieder einmal kein Mensch!" sagte
Erich. „Was Tausend hattest Du denn mit der
Wasserlilie zu thun?"

„Ich habe sie früher einmal gekannt," sagte
Reinhardt; „es ist aber schon lange her."

———

Am folgenden Nachmittag wanderten Reinhardt
und Elisabeth jenseits des See's bald durch die

Hölzung, bald auf dem hohen vorspringenden Uferrande. Elisabeth hatte von Erich den Auftrag erhalten, während seiner und der Mutter Abwesenheit Reinhardt mit den schönsten Aussichten der nächsten Umgegend, namentlich von der andern Uferseite auf den Hof selber, bekannt zu machen. Nun gingen sie von einem Punct zum andern. Endlich wurde Elisabeth müde und setzte sich in den Schatten überhängender Zweige, Reinhardt stand ihr gegenüber an einen Baumstamm gelehnt; da hörte er tiefer im Walde den Kuckuck rufen, und es kam ihm plötzlich, dies Alles sei schon einmal eben so gewesen. Er sah sie seltsam lächelnd an. „Wollen wir Erdbeeren suchen?" fragte er.

„Es ist keine Erdbeerenzeit," sagte sie.

„Sie wird aber bald kommen."

|82| Elisabeth schüttelte schweigend den Kopf; dann stand sie auf und beide setzten ihre Wanderung fort; und wie sie so an seiner Seite ging, wandte sein Blick sich immer wieder nach ihr hin; denn sie ging schön, als wenn sie von ihren Kleidern getragen würde. Er blieb oft unwillkührlich einen Schritt zurück, um sie ganz und voll in's Auge fassen zu können. So kamen sie an einen freien, haidebewachsenen Platz mit einer weit in's Land reichenden Aussicht. Reinhardt bückte sich und pflückte etwas von den am Boden wachsenden Kräutern. Als er wieder aufsah, trug sein Gesicht den Ausdruck

leidenschaftlichen Schmerzes. „Kennst Du diese Blume?" sagte er.

Sie sah ihn fragend an. „Es ist eine Erica. Ich habe sie oft hier im Walde gepflückt."

„Ich habe zu Hause ein altes Buch," sagte er; „ich pflegte sonst allerlei Lieder und Reime hineinzuschreiben, es ist aber lange nicht mehr geschehen. Zwischen den Blättern liegt auch eine Erica; aber es ist nur eine verwelkte. Weißt Du, wer sie mir gegeben hat?"

Sie nickte stumm; aber sie schlug die Augen nieder und sah nur auf das Kraut, das er in der Hand hielt. So standen sie lange. Als sie die Augen gegen ihn aufschlug, sah er, daß sie voll Thränen waren.

„Elisabeth," sagte er, – „hinter jenen blauen Bergen liegt unsere Jugend. Wo ist sie geblieben?"

Sie sprachen nichts mehr; sie gingen stumm neben einander zum See hinab. Die Luft war schwül, im Westen stieg schwarzes Gewölk auf. „Es wird Gewitter". sagte Elisabeth indem sie ihren Schritt beeilte. Reinhardt nickte schweigend, und beide gingen rasch am Ufer entlang, bis sie ihren Kahn erreicht hatten.

Während der Ueberfahrt ließ Elisabeth ihre Hand auf dem Rande des Kahnes ruhen. Er blickte beim Rudern zu ihr hinüber; sie aber sah an ihm vorbei in die Ferne. So glitt sein Blick herunter und blieb auf ihrer Hand; und diese blasse Hand verrieth ihm, was

ihr Antlitz ihm verschwiegen hatte. Er sah auf ihr
jenen feinen Zug geheimen Schmerzes, der sich so
gerne schöner Frauenhände bemächtigt, die Nachts
auf kranken Herzen liegen. – Als Elisabeth sein
Auge auf ihrer Hand ruhen fühlte, ließ sie sie
langsam über Bord in's Wasser gleiten.

Auf dem Hofe angekommen, trafen sie einen
Scheerenschleiferkarren vor dem Herrenhause; ein
Mann mit schwarzen, niederhängenden Locken trat
emsig das Rad und summte eine Zigeunermelodie
zwischen den Zähnen, während ein eingeschirrter
Hund schnaufend daneben lag. |83| Auf dem
Hausflur stand in Lumpen gehüllt ein Mädchen mit
verstörten schönen Zügen und streckte mit flehen-
der Bettlermiene die Hand gegen Elisabeth aus.
Reinhardt griff in seine Tasche; aber Elisabeth kam
ihm zuvor und schüttete hastig den ganzen Inhalt
ihrer Börse in die offene Hand der Bettlerin. Dann
wandte sie sich eilig ab, und Reinhardt hörte, wie sie
schluchzend die Treppe hinaufging.

Reinhardt ging auf sein Zimmer; er setzte sich
hin, um zu arbeiten, aber er hatte keine Gedanken.
Nachdem er es eine Stunde lang vergebens versucht
hatte, ging er in's Familienzimmer hinab. Es war
Niemand da, nur kühle, grüne Dämmerung; auf
Elisabeth's Nähtisch lag ein rothes Band, das sie am
Nachmittag um den Hals getragen hatte. Er nahm
es in die Hand, aber es that ihm weh, und er legte es

wieder hin. Er hatte keine Ruh', er ging an den See
hinab und band den Kahn los; er ruderte hinüber,
und ging noch einmal alle Wege, die er kurz vorher
mit Elisabeth zusammen gegangen war. Als er
wieder nach Hause kam, war es dunkel; auf dem
Hofe begegnete ihm der Kutscher, der die Wagen-
pferde in's Gras bringen wollte; die Reisenden waren
eben zurückgekehrt. Bei seinem Eintritt in den
Hausflur hörte er Erich im Gartensaal auf- und
abschreiten. Er ging nicht zu ihm hinein; er stand
einen Augenblick still, und stieg dann leise die
Treppe hinauf nach seinem Zimmer. Hier setzte er
sich in den Lehnstuhl an's Fenster; er that vor sich
selbst, als wolle er die Nachtigall hören, die unten in
den Taxuswänden schlug; aber er hörte nur den
Schlag seines eigenen Herzens. Unter ihm im Hause
ging Alles zur Ruh'; die Nacht verrann; er fühlte es
nicht. – So saß er stundenlang. Endlich stand er auf
und legte sich in's offene Fenster. Der Nachtthau
rieselte zwischen den Blättern, die Nachtigall hatte
aufgehört zu schlagen. Allmählig wurde auch das
tiefe Blau des Nachthimmels von Osten her durch
einen blaßgelben Schimmer verdrängt; ein frischer
Wind erhob sich und streifte Reinhardts heiße Stirn;
die erste Lerche stieg jauchzend in die Luft. –
Reinhardt kehrte sich plötzlich um und trat an den
Tisch; er tappte nach einem Bleistift, und als er
diesen gefunden, setzte er sich und schrieb damit

einige Zeilen auf einen weißen Bogen Papier.
Nachdem er hiemit fertig war, nahm er Hut und
Stock, und das Papier zurücklassend, öffnete er
behutsam die Thür und stieg in den Flur hinab. –
Die Morgendämmerung ruhte noch in allen
Winkeln; die große Hauskatze dehnte sich auf der
Strohmatte und sträubte den Rücken gegen seine
Hand, die er ihr gedankenlos entgegenhielt. Drau-
ßen im Garten aber priesterten schon die Sperlinge
von |84| den Zweigen und sagten es allen, daß die
Nacht vorbei sei. Da hörte er oben im Hause eine
Thür gehen; es kam die Treppe herunter, und als er
aufsah, stand Elisabeth vor ihm. Sie legte die Hand
auf seinen Arm, sie bewegte die Lippen, aber er
hörte keine Worte. „Du kommst nicht wieder." sagte
sie endlich. „Ich weiß es, lüge nicht; Du kommst nie
wieder."

„Nie." sagte er. Sie ließ ihre Hand sinken und
sagte nichts mehr. Er ging über den Flur der Thüre
zu; dann wandte er sich noch einmal. Sie stand
bewegungslos an derselben Stelle und sah ihn mit
todten Augen an. Er that einen Schritt vorwärts und
streckte die Arme nach ihr aus. Dann kehrte er sich
gewaltsam ab, und ging zur Thür hinaus. – Draußen
lag die Welt im frischen Morgenlichte, die Thauper-
len, die in den Spinngeweben hingen, blitzten in den
ersten Sonnenstrahlen. Er sah nicht rückwärts, er
wanderte rasch hinaus; und mehr und mehr versank

hinter ihm das stille Gehöft, und vor ihm auf stieg
die große weite Welt.

———————

Nach einigen Jahren finden wir Reinhardt an der
nördlichsten Grenze des Landes in weiter Entfer-
nung von den eben beschriebenen Scenen wieder.
Nach dem bald erfolgten Tode seiner Mutter hatte
er hier ein Amt gesucht und gefunden, und sich so
in den Gang des täglichen Lebens eingereiht. Seine
amtliche Stellung noch mehr als das natürliche
Bedürfniß des Umganges hatte ihn mit den ver-
schiedensten Menschen beiderlei Geschlechts zu-
sammengeführt, und was er erfahren und geliebt
hatte, trat vor den Anregungen der Gegenwart,
obwohl sie mit den früheren an Stärke nicht vergli-
chen werden konnten, mehr und mehr in den
Hintergrund. So gingen mehrere Jahre hin. Allmählig kam die Gewöhnlichkeit und nutzte die frische
Herbigkeit seines Gefühls ab oder schläferte sie
wenigstens ein, und es wurde in den Dingen des
äußerlichen Lebens mit ihm, wie mit den meisten
Menschen. Endlich nahm er auch eine Frau. Sie war
wirthschaftlich und freundlich, und so ging Alles
seinen wohlgeordneten Gang. Dennoch mitunter,
wenn auch selten, machte sich der Zwiespalt
zwischen Gegenwart und Erinnerung bei ihm

geltend. Dann konnte er stundenlang am Fenster stehen und, scheinbar in die Schönheit der unten ausgedehnten Gegend verloren, unverwandten Blickes hinaussehen; aber sein äußeres Auge war dann geblendet, während das innere in die Perspective der Vergangenheit blickte, wo eine Aussicht tiefer als die |85| andere sich abwechselnd eröffnete. Dies war meistens der Fall, wenn Briefe von Erich eingelaufen waren; mit den Jahren aber kamen sie immer seltener, bis sie endlich ganz aufhörten, und Reinhardt erfuhr nur noch zuweilen von durchreisenden Freunden, daß Erich und Elisabeth nach wie vor in ruhiger Thätigkeit, aber kinderlos, auf ihrem stillen Gehöfte lebten. Reinhardten selber wurde im zweiten Jahre seiner Ehe ein Sohn geboren. Er gerieth dadurch in die aufgeregteste Freude, er lief in die Nacht hinaus und schrie es in die Winde: „Mir ist ein Sohn geboren!" Er hob ihn an seine Brust und flüsterte mit weinenden Augen die zärtlichsten Worte in das kleine Ohr des Kindes, wie er sie nie im Leben einer Geliebten gesagt hatte. Aber das Kind starb, ehe es jährig geworden, und von nun an blieb die Ehe kinderlos. Nach dreißig Jahren starb auch die Frau, sanft und still, wie sie gelebt hatte, und Reinhardt gab sein Amt auf und zog nördlich über die Grenze in das nördlichste deutsche Land. Hier kaufte er sich das älteste Haus in einer kleinen Stadt, und lebte in sparsamem

Umgange. Von Elisabeth hörte er seitdem nichts
wieder; aber je weniger ihn jetzt das gegenwärtige
Leben in Anspruch nahm, desto heller trat wieder
die entfernteste Vergangenheit aus ihrem Dunkel
hervor, und die Geliebte seiner Jugend war seinem
Herzen vielleicht niemals näher gewesen, als jetzt
in seinem hohen Alter. Sein braunes Haar war weiß
geworden, sein Schritt langsam und seine schlanke
Gestalt gebeugt, aber in seinen Augen war noch ein
Strahl von unvergänglicher Jugend.

————

So haben wir ihn zu Anfang dieser Erzählung gesehen; wir haben ihn selbst auf sein abgelegenes
Zimmer und dann seine Gedanken auf ihrer
Wanderung in die alte Zeit begleitet. – Der Mond
schien nicht mehr in die Fensterscheiben, es war
dunkel geworden; der Alte aber saß noch immer mit
gefalteten Händen in seinem Lehnstuhl und blickte
unbeweglich vor sich hin in den Raum des Zimmers.
Allmählig verzog sich vor seinen Augen die schwarze Dämmerung um ihn her zu einem breiten
dunklen See; ein schwarzes Gewässer legte sich
hinter das andere, immer tiefer und ferner, und auf
dem letzten, so fern, daß die Augen des Alten sie
kaum erreichten, schwamm einsam zwischen breiten Blättern eine weiße Wasserlilie.

Die Stubenthür ging auf und ein heller Licht-
schimmer fiel in's Zimmer. „Es ist gut, daß Sie
kommen, Brigitte". sagte der Alte. „Stellen Sie das
Licht nur auf den Tisch."

5 |86| Dann rückte er den Stuhl auch zum Tische,
nahm eins der aufgeschlagenen Bücher und vertiefte sich in Studien, an denen er einst die Kraft seiner
Jugend geübt hatte.

Th. St.

Volksbuch

auf das Schalt-Jahr

1848

für

Schleswig, Holstein und Lauenburg.

Mit Beiträgen

von

Herm. Biernatzki, Pastor J. F. Burmester, Dr. Eckhoff, C. P. Hansen, Pastor M. H. Hinrichsen, Franz Hoffmann, Dr. Marcus, G. C. W. Pasche, Etatsr. Natjen, Nickmers, C. Riepen, Dr. H. Schröder, Theodor Storm, D. St., Dr Adolf Wolff u. A.,

herausgegeben

von

Karl Biernatzki.

Fünfter Jahrgang.

Altona,

Verlag der Expedition des Altonaer Mercur's.

In Commission bei Adolf Lehmkuhl.

Zu dieser Ausgabe

Zur Textgestalt

Der Zeitraum von 1843 bis 1853 war in Theodor Storms Leben (1817–1888) vor allem dem Versuch einer bürgerlichen Existenzgründung vorbehalten. Daneben kennen diese Jahre aber auch die entschiedene Bemühung um die Begründung einer poetischen Existenz. 1851 trat Storm nach dem gemeinsam mit Theodor und Tycho Mommsen verfassten *Liederbuch dreier Freunde* (1843) zum ersten Mal mit einer eigenen, selbständigen Publikation an die Öffentlichkeit. Sie trug den Titel *Sommer-Geschichten und Lieder* und enthielt Novellen und Gedichte, die insbesondere von Storms Liebesverhältnis mit Dorothea Jensen (1847/48) inspiriert scheinen. Einige der Texte des Bändchens waren bereits vorab in Zeitschriften und Almanachen erschienen.

Auch die im Jahre 1849 entstandene Novelle *Immensee* wurde bereits in dem von Karl [Leonhard] Biernatzki herausgegebenen *Volksbuch auf das Jahr 1850 für Schleswig, Holstein und Lauenburg* in einer ersten, noch ungekürzten Fassung abgedruckt (S. 56–86). Der im Umfang etwa um 10% reichere Erstdruck (eine Handschrift ist nicht bekannt) vermittelt gegenüber der sogenannten „Neuen Fassung" in den *Sommer-Geschichten und Liedern*, die auch der ersten selbständigen Ausgabe von *Immensee* im Jahre

1852 bei Duncker in Berlin zugrunde lag, in ihren
Erzählerkommentaren reizvolle Varianten, kennt jedoch
noch keine Kapitelüberschriften. Die 29. und 30. Auflage
von *Immensee* (alle in der gekürzten Fassung), Storms
erfolgreichster Novelle, die auch seinen Ruhm begrün-
dete, erschien noch im Todesjahr 1888.

Der Text unserer Ausgabe folgt dem Erstdruck in
Biernatzkis *Volksbuch* zeichengenau in Orthographie und
Interpunktion. Eingriffe in den Originaltext wurden nur
bei offensichtlichen Satzfehlern vorgenommen (z. B.
wurde „derS chanz" durch „der Schanz" ersetzt). Angaben
in eckigen Klammern sind Konjekturen, Hinzufügungen
bzw. Verdeutlichungen des Herausgebers. Textanordnung
(Absätze, Leerzeilen, Zentrierungen etc.) und Schriftge-
staltung (Punktgröße, Auszeichnungen usw.) geben, ohne
ein Faksimile ersetzen zu wollen, in modifizierter Form
die originale Situation wieder. Die Ziffern zwischen den
senkrechten Haarstrichen markieren die Paginierung des
Erstdrucks.

GLOSSAR

Ad loca!: (lat.) Kommandoruf beim studentischen Kommers; „Auf die Plätze!", „Achtung!"

Aegypter, der hochbeinige: hier Bezeichnung für den Storch; resultiert aus der Vorstellung, er sei ein Sommergast aus Ägypten

Bastei: vorspringender Teil des Festungsbaus; Aussichtsplatz

Bauer, sein: hier: (das) Vogelbauer; Vogelkäfig

Botanik: Pflanzenkunde

Botanisirkapsel: an einem Umhängegurt tragbarer zylinderförmiger Blechkasten zum Sammeln von Pflanzen

Brandfuchs: →Füchse(n)

colloquium!: Gespräch, Unterredung; hier im Speziellen die Aufforderung und die Erlaubnis beim studentischen Kommers zum Gespräch

Courage: Mut

Dirne: junges Mädchen; ursprünglich ohne abwertenden Unterton

discurrirend: diskutierend, lebhaft redend, erörternd

Dufte: hier: Dunste

E dominante!: (ital.) wörtl. „Sie [die Stadt Venedig] ist beherrschend!"; „Sie ist überwältigend!"

Endrefrain: Kehrreim, Rundgesang; am Schluss einer Liedstrophe regelmäßig wiederkehrende Laut- oder Wortfolge

Erdbeerenschlag: Waldlichtung mit Erdbeeren

erstan: (niederdt.) anfänglich, anfangs, zuerst

Excursionen: Ausflüge

Flaußrock: Hausjacke aus dickem, groben Stoff

Flittergold: billiger Tand; glänzendes, aber wertloses Zeug

Foliant(en): umgangssprachl. ein großes, unhandliches, altes Buch

Füchse(n): im Burschenschaftsjargon soviel wie „Anfänger", „Erstsemester"

Geschichte von dem armen Mann, der in die Löwengrube geworfen war: vgl. „Daniel in der Löwengrube" (Dan. 6,17–28)

geschweigen: zum Schweigen bringen

gravitätisch: würdevoll, gemessen, schwerfällig, steif

Gulden: alte deutsche Goldmünze

Haide(n): Heide(n)

Hänfling: eine Finkenart

Heller: kleine Münzeinheit

herumtranchirte, an einem Braten: einen Braten kunstgerecht in Stücke zerlegte

Hühnerschwarm: volkstümliche Bezeichnung für Vogelmiere; eine Art Nelkengewächs (Gartenunkraut)

Hülsendorn: Stechpalme

Ich stand auf hohen Bergen: variierte Anfangszeile des Volkslieds „Die Nonne" aus „Des Knaben Wunderhorn" von Achim von Arnim und Clemens Brentano

Katechismus weggelaufen, erst hinter'm: aus der Sonntagsschule kommend; in übertragener Bedeutung soviel wie „noch sehr jung"

Knittergold(fahne): Knistergold, Rauschegold, →Flittergold

lehrhaft: gelehrig

ließ ihr hübsch, das: das stand ihr hübsch

Mamsell: (aus frz. Mademoiselle) mein Fräulein; übliche Anrede für bürgerliche, unverheiratete junge Frauen und weibliches Dienstpersonal

Manschette(n): steifer Ärmelabschluss an Hemd oder Bluse

Mariengarn: die Fäden des Altweibersommers

Meerschaumkopf: Pfeife

nahbelegenen: nahe gelegenen

O bella Venezia!: (ital.) Oh, du schönes Venedig!

Pesel: Storms Worterklärung in der Erstausgabe des „Schimmelreiters" (Berlin 1888) lautet: „ein für außerordentliche Gelegenheiten bestimmtes Gemach, in den Marschen gewöhnlich neben der Wohnstube" (vgl. <u>dtv</u>-Bibliothek der Erstausgaben Nr. 2618, S. 8)

Präsides: Vorsitzende einer studentischen Kneipe (Trinkabend), Leiter eines Kommerses

priesterten: zwitscherten; hier soviel wie „predigten"

pro poena: (lat.) zur Buße, als Strafe

Recompens: (zum) Ausgleich, (als) Ersatz

Repositorien: Aktenschränke, Aktenablagen

Revange: umgangssprachlich für „Revanche" = Vergeltung, Rache; hier Gelegenheit zum Rückkampf

Ritornell: instrumentales Vor- oder Zwischenspiel; auch volkstümliche dreizeilige Einzelstrophe, die, wie hier, als Refrain verwendet wird

Schnaderhüpferl: alpenländisches Volkslied in scherzhaftem Ton; oft aus dem Stegreif entworfen

secondiren(d): begleiten (als zweite Stimme)

Sonntagscamisol: Sonntagsjacke, Sonntagswams

Spritfabrik: Branntweinbrennerei

Syringenbäume: Fliederbäume

Taxuswände: regelmäßig zugeschnittene Eibenhecken

totalement: (frz.) völlig, ganz

Tressen: Kleidungsschmuck, Besatz, Borten

verschrieben: hier: eingeladen

Vivat sequens!: (lat.) Hochruf beim studentischen Kommers; „es lebe der Folgende!"

Vogelbauer: Vogelkäfig

Zittermädchen: die Zither- oder Harfenmädchen sind auch als eine Anspielung auf die Mignongestalt in Goethes „Wilhelm Meister" zu verstehen

DATEN ZU LEBEN UND WERK
THEODOR STORM
(1817–1888)

1817–1835 HUSUM

1817 14. September: Hans Theodor Woldsen Storm wird
      in Husum als erstes von zwölf Kindern des Advoka-
      ten Johann Casimir Storm (1790–1874) und seiner
      Frau Lucie, geb. Woldsen (1797–1879), geboren. Von
      Geburt besitzt Storm die dänische Staatsbürgerschaft.

1821 Umzug ins Haus der Großeltern in der Hohlen
      Gasse 3.
      Herbst: Eintritt in die Grundschule der „Mutter
      Amberg".

1826 Übertritt in die Gelehrtenschule.

1833 17. Juli: Storms erstes erhaltenes Gedicht *An Emma*
      entsteht; überliefert in einem handschriftlichen
      Gedichtband.
      Beginn der Jugendfreundschaft mit Emma Kühl von
      der Insel Föhr.

1835–1837 LÜBECK

1835 Wechsel von der Gelehrtenschule auf das Kathari-
      neum in Lübeck. Bekanntschaft mit Emanuel Geibel.
      Intensive Lektüreeindrücke von Goethe, Heine,
      Eichendorff.

1836 Weihnachten: Storm schenkt seinen Eltern ein Heft

mit eigenen Gedichten. Er selber ist zu Besuch in
Hamburg und macht bei der Familie Scherff die
Bekanntschaft mit der 9-jährigen Bertha von Buchan.

1837–1838 KIEL

1837   6. und 7. Januar: Das durch die Begegnung mit
Bertha von Buchan inspirierte Gedicht *Lockenköpf-
chen* entsteht.
Ostern: Immatrikulation an der juristischen Fakul-
tät der Universität Kiel.
3. Oktober: Verlobung mit Emma Kühl.
Weihnachten: Das erste erhaltene Prosastück, das
Märchen *Hans Bär*, entsteht als Geschenk für Bertha
von Buchan.

1838   28. Februar: Auflösung der Verlobung mit Emma.

1838–1839 BERLIN

1838   Ostern: Immatrikulation an der Universität Berlin.
Herbst: Vierwöchiger Aufenthalt in Dresden.

1839–1843 KIEL

1839   Herbst: Rückkehr an die Universität Kiel. Freundschaft mit Theodor und Tycho Mommsen.
Bekanntschaft mit der Lyrik Mörikes.

1840   Erste Gedichtabdrucke im *Album der Boudoirs* der
Zeitschrift *Europa*.
Storm beginnt schleswig-holsteinische Sagen, Mär-
chen und Lieder zu sammeln.

1842   Oktober: Die 15-jährige Bertha von Buchan weist
Storms Heiratsantrag zurück.
Abschluss des Studiums und Rückkehr nach Husum.

1843–1853 HUSUM

1843 Februar: Niederlassung als Anwalt.

Frühjahr: Storm gründet einen Gesangverein, dessen musikalische Leitung er übernimmt.

Das *Liederbuch dreier Freunde* zusammen mit Theodor und Tycho Mommsen erscheint in Kiel.

1844 Januar: Verlobung mit seiner Cousine Constanze Esmarch (geb. 1825), der Tochter des Bürgermeisters von Segeberg.

Juni: Teilnahme am Nordfriesenfest in Bredstedt.

Gedichte und Brautbriefe an Constanze.

1845 Herbst: Umzug in die Neustadt 56.

1846 15. September: Eheschließung mit Constanze.

1847 Herbst: Liebe zu Dorothea Jensen (1828–1903).

Die erste Prosaveröffentlichung *Marthe und ihre Uhr* in Karl Biernatzkis *Volksbuch auf das Jahr 1848*.

1848 25. Februar: Geburt des Sohnes Hans.

Frühjahr: Dorothea verlässt Husum.

März: Volkserhebung in Schleswig-Holstein.

Reiche lyrische Produktion, darunter das *Oktoberlied* und der Gedichtzyklus *Ein Buch der roten Rosen*.

1849 Unterzeichnung der Protestresolution der Bürger Husums an den dänischen Landeskommissar Tillich gegen die Maßnahmen der Landesverwaltung.

Die Novelle *Immensee* erscheint in Biernatzkis *Volksbuch auf das Jahr 1850 für Schleswig, Holstein und Lauenburg*. Sie erreicht noch zu Lebzeiten die 30. Auflage und begründet Storms literarischen Ruhm.

1850 Beginn des Briefwechsels mit Eduard Mörike.

Politische Gedichte.

1851 30. Januar: Geburt des Sohnes Ernst.

Öffentliches Bekenntnis zur schleswig-holsteinischen Volksbewegung.

Bei Duncker in Berlin erscheinen die *Sommergeschichten.*

1852 22. November: Storms Bestallung als Advokat wird von der dänischen Regierung aufgehoben.

Erfolglose Bewerbung um eine Bürgermeisterstelle in Buxtehude und um eine richterliche Anstellung im Herzogtum Gotha.

Dezember: Reise nach Berlin, um eine Anstellung im preußischen Justizdienst zu erhalten.

Einführung in den literarischen Verein „Tunnel über der Spree"; Bekanntschaft mit Theodor Fontane.

Die erste Ausgabe der *Gedichte* erscheint in Kiel.

1853 10. Juni: Geburt des Sohnes Karl.

18. Oktober: Ernennung zum preußischen Assessor (ohne Gehalt) und Übersiedlung nach Potsdam.

1853–1856 POTSDAM

1854 Februar: Bekanntschaft mit Eichendorff.

Beginn des Briefwechsels mit Paul Heyse.

August: Storm erhält ein bescheidenes Gehalt.

1855 10. Juni: Geburt der Tochter Lisbeth.

15./16. August: Besuch bei Mörike in Stuttgart.

1856 Juli: Ernennung zum ordentlichen Kreisrichter in Heiligenstadt.

1856–1864 HEILIGENSTADT

1856 Umzug nach Heiligenstadt.

1858–1864 Novellistische Werke: *Am Kamin* (1858); *Auf dem Staatshof* (1858); *Späte Rosen* (1859); *Drüben am Markt*

(1860); *Veronika* (1861); *Auf der Universität* (1862); *Unter dem Tannenbaum* (1862); *Abseits* (1863); *Von jenseits des Meeres* (1864).

1860 Erneutes Aufleben der schleswig-holsteinischen Volksbewegung.
Geburt der Tochter Lucie.

1862 Die Novelle *Im Schloß* erscheint in der sehr erfolgreichen Familienzeitschrift *Die Gartenlaube.*

1863 24. Januar: Gedicht *Gräber in Schleswig.*
Geburt der Tochter Elsabe.

1864 Februar: Wahl Storms zum Landvogt durch die Ständeversammlung in Husum.

1864–1880 HUSUM

1864 15. März: Rückkehr Storms nach Husum. Wohnung in der Süderstraße 12.

1865 4. Mai: Geburt des siebten Kindes, Tochter Gertrud.
24. Mai: Tod Constanzes im Kindbett.
5.–13. September: Zu Gast bei Ivan S. Turgenjev in Baden-Baden.

1866 13. Juni: Eheschließung mit Dorothea Jensen.
Umzug in das Haus Wasserreihe 31.
Drei Märchen (Bulemanns Haus, Die Regentrude, Der Spiegel des Cyprianus) erscheinen in Hamburg.

1867 1. September: Im Zuge der Verwaltungsreform des von Preußen annektierten Schleswig-Holstein wird Storm Amtsrichter.

1868 4. November: Geburt der Tochter Friederike, des ersten Kindes aus zweiter Ehe.
Storms *Sämtliche Schriften* erscheinen in einer sechsbändigen Ausgabe bei Westermann in Braunschweig.

1870 Die Anthologie *Hausbuch aus deutschen Dichtern seit Claudius* erscheint.

Autobiographische Schriften.

1871 Briefwechsel mit Emil Kuh.

1872 Reise nach München und Salzburg.

Die Novelle *Draußen im Heidedorf* erscheint in der Zeitschrift *Der Salon für Literatur, Kunst und Gesellschaft.*

1874 Die Novelle *Viola Tricolor* wird in *Westermann's Monatsheften* gedruckt.

15. September: Tod des Vaters.

Die Novelle *Pole Poppenspäler* erscheint in der neugegründeten Zeitschrift *Deutsche Jugend.*

1876 Reise nach Würzburg zum Sohn Hans.

Storms Novelle *Aquis submersus* wird in der *Deutschen Rundschau* veröffentlicht.

1877 Erneute Reise nach Würzburg.

Beginn der Freundschaft mit Erich Schmidt und des Briefwechsels mit Gottfried Keller.

1878 Reise nach Varel zum Sohn Karl.

Die Novelle *Carsten Curator* erscheint in *Westermann's Monatsheften* und die Novelle *Renate* in der *Deutschen Rundschau.*

1879 Ernennung zum Amtsgerichtsrat.

28. Juli: Storms Mutter stirbt.

1880–1888 HADEMARSCHEN

1880 Pensionierung Storms und Umzug nach Hademarschen.

1881 Einzug in die „Altersvilla".

Die Novelle *Der Herr Etatsrat* erscheint in *Westermann's Monatsheften* wie auch die folgenden Novellen *Hans und Heinz Kirch* (1882), *Zur Chronik von Grieshuus* (1884) und *Ein Fest auf Haderslevhuus* (1885).

1884 Reise nach Berlin.

1885 Beginn der Arbeit an der Novelle *Der Schimmelreiter.*

1886 Reise mit der Tochter Elsabe nach Weimar.

Die Novelle *Ein Doppelgänger* erscheint in Karl Emil Franzos' neuer Zeitschrift *Deutsche Dichtung.*

Oktober: schwere Erkrankung.

5. Dezember: Storms Sohn Hans stirbt in Aschaffenburg.

1887 Aufenthalt auf Sylt.

Zum 70. Geburtstag finden in Hademarschen, Husum und Kiel größere Feierlichkeiten statt.

Magenkrebserkrankung.

1888 9. Februar: Beendigung der Novelle *Der Schimmelreiter.*

4. Juli: Tod Storms.

7. Juli: Beisetzung ohne kirchliche Zeremonien.

IMMENSEE

Über die Entstehungszeit, über Quellen und Anregungen für Theodor Storms kleine Novelle *Immensee* gibt es mehr Vermutungen als gesicherte Belege. Eine davon will wissen, dass Storm anlässlich des Besuchs einer Gesellschaft vom Schicksal einer jungen Frau erfuhr, deren Verlobung mit einem älteren, reichen, nüchtern geschäftsmäßigen Mann – es steht zu argwöhnen, gegen den Willen und Wunsch der Frau – entschieden von der Mutter des Mädchens in die Wege geleitet wurde. Der Bericht über die bemitleidete Tochter soll den Dichter am nächsten Tag zu dem Gedicht inspiriert haben: „Meine Mutter hat's gewollt".

Um dieses Gedicht scheint die Novelle in der Tat gebaut zu sein. Es formuliert den Konflikt, der die Geschichte der unerfüllten Liebe von Elisabeth und Reinhardt bedingt, setzt die Dreieckskonstellation ansatzweise in Parallele zu Goethes *Leiden des jungen Werthers* (1774) und formuliert die Konsequenzen des verhinderten Seelenbundes: Ehebruch. Erstaunlich an dem Vorgang, den ein spätes produktionsästhetisches Bekenntnis Theodor Storms zu dokumentieren scheint – „Meine Novellistik ist aus meiner Lyrik erwachsen" (Brief vom 1. März 1882 an Erich Schmidt) –, ist jedoch der Umstand, dass die angeblich um die poetische Fassung gebaute prosaische Version die Konflikte viel behutsamer andeutet als das

lyrische Gebilde. Der Haupttext spricht, wie schon Fontane 1853 meinte, mit keinem Wort von einem Konflikt; er
kennt keine Anklage gegen die Mutter und auch keine
Atmosphäre von Schuld und Sünde. Wir werden dort nur
Zeugen von in ihrer Motivation erklärungsbedürftigen
Vorgängen und sehen uns konfrontiert mit der Verwei-
gerung einer psychologischen Analyse. Die spätere Elimi-
nierung erzählerischer Kommentare in der Zweitfassung
unterstreicht sogar Storms Absicht, die Konflikte des
sozialen Lebens, seine kritischen Höhe- und Wende-
punkte und ihre Reflexion gleichsam nur in andeutendem
Schweigen mitzuteilen, die – mit Goethe zu sprechen –
sich ereignende unerhörte Begebenheit als poetische
Impression und Situation im wörtlichen Sinne als
„unerhört" zu begreifen, sprich, sie ganz leise abzuhan-
deln, sie an keiner Stelle als Hauptstimme dröhnend laut
werden zu lassen.

Sich auf den Literaturhistoriker Georg Gottfried
Gervinus (1805–1871) berufend, formuliert Storm in einem
Brief vom 22. November 1850 an Freund Hartmuth Brink-
mann (1819–1910) ganz in diesem Sinne:

> „...die Novelle sei wesentlich Situation und als
> solche geeignet, der großen Gattung subordi-
> nierter Konversationspoesie, dem Roman, der
> sich im Geleise des modernen sozialen Lebens
> bewege, eine poetische Seite abzugewinnen
> durch Beschränkung und Isolierung auf einzel-
> ne Momente von poetischem Interesse, die sich
> auch im dürftigsten Alltagsleben finden."

Die Auffassung, dass sich Motive und Anregungen für
die poetischen Interessen der Gattung Novelle im dürftig-

sten Alltagsleben finden, deklariert die von Storms erstem
Biographen Paul Schütze kolportierte spezifische An-
regung für *Immensee* damit nachgerade als beliebig. Ist sie
unter den Gegebenheiten der gesellschaftlichen Verhältnisse um die Entstehungszeit 1849 schon ziemlich banal
und alltäglich, wird sie in Hinblick auf Storms Gattungs-
verständnis gänzlich unplausibel, wenngleich sie Storms
Entwicklung von der Lyrik zur Novellistik am Beispiel
der frühen Erzählungen offensichtlich zutreffend erhellt.

Es gibt andere, nicht minder unzureichende Vermutungen im Hinblick auf jene Anregungen, die angeblich
das Leben nur aus dem Grunde schreibt, um sie Literatur
werden zu lassen. Bekanntlich verband den 16-jährigen
Storm nicht nur mit der 13-jährigen Emma Kühl, in die er
schon als 12-jähriger Junge verliebt war, eine enge Freundschaft, die 1837 in eine überstürzte Verlobung mündete.
An Weihnachten/Neujahr 1836/37 begann gleichzeitig
auch eine Leidenschaft zu der kaum 11-jährigen Bertha
von Buchan (1826–1903), die als 15-Jährige 1842 den
Heiratsantrag des seinerseits nun 25-jährigen Studenten
zurückwies. Auch wenn er seinem Freund Theodor
Mommsen das Geständnis anvertraute, er glaube zu
wissen, dass die Liebe zu diesem Kinde sein Leben noch
schlimm verwüsten werde (Brief vom 24. Mai 1843), so ist
bei aller Parallelität mit der Kindheitsgeschichte von
Reinhardt und Elisabeth Storm nicht jener Alte geworden, als der uns Reinhardt um dreißig Jahre älter in der
Erstfassung geschildert wird:

> „Von Elisabeth hörte er seitdem nichts wieder;
> aber je weniger ihn jetzt das gegenwärtige Leben
> in Anspruch nahm, desto heller trat wieder die

entfernteste Vergangenheit aus ihrem Dunkel hervor, und die Geliebte seiner Jugend war seinem Herzen vielleicht niemals näher gewesen, als jetzt in seinem hohen Alter." |85|

Storm, der seinerseits fast zwanzig Jahre später Bertha von Buchan in Hamburg wiedertraf, äußerte sich in seinen Aufzeichnungen unterm Datum vom 6. August 1860 weit weniger poetisch:

> „Meine alte Flamme sah wirklich recht hübsch und interessant aus und war auch nett und liebenswürdig gegen mich, obgleich ein Etwas in mir in ihr die fromme, selbstgerechte alte Jungfer herausfühlte. Himmel, wenn das meine Frau geworden wäre!" (E.O. Wooley: *Storm und Bertha von Buchan.* In: *Schriften der Theodor-Storm-Gesellschaft* 2/1953, S. 47)

Als Storm *Immensee* niederschrieb, lag die Zurückweisung seines unerwiderten Gefühls zwar erst sieben Jahre zurück, aber dazwischen gab es andere, sicher ebenso starke erotische Erfahrungen und Liebesbeziehungen. Erinnert sei hier nur an die Eheschließung mit seiner Cousine Constanze Esmarch (1825–1865) im Jahre 1846 und sein Liebesverhältnis zu Dorothea Jensen (1828–1903) ab Herbst 1847, der in den folgenden Jahren zweifellos Storms rauschhafte lyrische Produktion galt. Erst alle Erfahrungen zusammengenommen vereinten sich zu jener kritischen Masse, die Storm als den Verfasser einer zarten, gleichwohl vertrackten Liebesgeschichte glaubwürdig machten, ohne doch im Einzelnen als überzeugende Anregungen gewertet werden zu können.

Die Glaubwürdigkeit einer Geschichte ist selten ein

Resultat, das sich aus ihrer mehr oder minder starken
Verankerung im Leben errechnen ließe. Die Perspektive,
aus der die Bilanz der Rahmenszenen der Novelle, die
später beide die Kapitelüberschriften „Der Alte" erhiel-
ten, vorgelegt wird, und der Gesichtspunkt, aus dem
heraus der explizite Autor Theodor Storm 1849 seine
Geschichte poetisch gestaltet, sind ziemlich verschieden.
Aber die Glaubwürdigkeit einer Geschichte wird auch
nicht dadurch gewährleistet, dass sie Fragen der Art
zufriedenstellend beantwortet: „Warum schweigt Reinhardt, obwohl er um Erichs Werbung weiß, die sein Glück
bedroht?" – „Warum widersteht Elisabeth nicht und
kämpft um ihre Liebe?"

Fragen nach solcherart Motivation für das Verhalten
der Figuren einer Erzählung sind müßig, weil es solche
Ursachen – jedenfalls in Storms *Immensee* – nicht gibt. Ihr
Fehlen gehört zu den Grundkonstanten des Werks und
ist durch eine Auskunft des Dichters bestätigt. An Paul
Heyse schreibt Storm, dass er gegen das „Motivieren vor
den Augen des Lesers" eine große Abneigung habe:

> „Die Sachen werden dabei länger als not tut, und
> was vom Goldschimmer der Romantik in mir ist,
> geht dabei viel leichter in die Brüche als bei der
> ‚symptomatischen' Behandlung, die ich für den
> einzig wahren poetischen Jakob halte."

Das ist zwar eine späte poetologische Äußerung Storms
vom 15. November 1882, die das frühe Beispiel der poetischen Praxis jedoch exemplarisch belegt. Storms ‚sympto-
matischer' Behandlungsart Rechnung zu tragen, die statt
Erklärungen zu geben Vorgänge schildert, kann deshalb
nicht als Verzichtserklärung gewertet werden, die Figuren

seiner Novelle nicht begreifen zu wollen. Ex negativo lässt
sich jedenfalls ziemlich klar erkennen, dass sie mitnichten,
das immer und immer wieder unterstellte Moment der
Resignation aufgreifend, als Entsagende vorgestellt werden
können. Beide Figuren leben in einer – in der zweiten
Fassung nur in einer langen Reihe von Gedankenstrichen
angedeutet – Zeitspanne von dreißig Jahren ein Leben, das
Storm keinesfalls mit den Bezeichnungen „Entsagung"
und „Resignation" charakterisiert sehen wollte.

Selbst wenn wir nicht wüssten, was sich hinter diesen
Gedankenstrichen verbirgt – dank der Erstfassung kennen
wir Storms heimliche, den Augen des Lesers nachträglich
vorenthaltene Motivierung –, der Weg Reinhardts und
Elisabeths führt in keine biedermeierliche, von Entsagung
geprägte, ja durch innere Verfeinerung an Lebens-
schwäche grenzende Zukunft. Zwar ist die Zeit der
„wilden Erdbeeren" vorbei, die goldnen Augen der
Waldeskönigin sind mit Tränen gefüllt, aber der Abschied
von der Jugend, die Vertreibung aus dem Paradies –
„hinter jenen blauen Bergen liegt unsere Jugend" |82| –
mündet aus dem Goldschimmer der Romantik gleichwohl in handfesten Realismus:

> „Draußen", so die Formulierung Storms im
> Augenblick des Abschieds von seiner und seines
> Helden Jugend, „lag die Welt im frischen
> Morgenlichte, die Thauperlen, die in den Spinn-
> geweben hingen, blitzten in den ersten Sonnen-
> strahlen. Er sah nicht rückwärts, er wanderte
> rasch hinaus; und mehr und mehr versank hinter
> ihm das stille Gehöft, und vor ihm auf stieg die
> große weite Welt." |85|

Zurecht widerspricht Storm angesichts solcher Wendung des Textes Hartmuth Brinkmann am 21. Januar 1868:

> „Auch irrst Du darin, wenn Du ein Nebeln und Schwebeln darin findest. Sie [*Immensee* und andere Erzählungen] sind im Gegenteil überall ganz realistisch ausgeprägt und dabei in der ganzen Durchführung doch durch den Drang nach der Darstellung des Schönen und Idealen getragen."

Der Dichter hat in seiner ‚symptomatischen' Behandlungsart weniger Personen als vielmehr einen Vorgang dargestellt: er heißt Abschied von der Jugend, dem Traum vom Dichtertum und von der Muse. „Immensee", das stille Gehöft, ist dafür die Chiffre. Es bleibt von dem prosaischen Flachland des Lebens aus, von der Region „an der nördlichsten Grenze des Landes", wohin Reinhardt nach seinem Weggang von Immensee zieht, nur als Erinnerung hinter den blauen Bergen greifbar. (Das Spiel mit der süd- und norddeutschen Topographie ist bedeutungserzeugend; Thomas Mann, der Bewunderer Storms, spielt mit dieser topographischen Vorgabe und der Entgegensetzung Romantik-Realismus bis in den *Zauberberg* hinein unermüdet weiter.) Der Vorgang ist wie aller Abschied tief melancholisch grundiert. Ludwig Salomon (1844–1901) erkannte hellsichtig:

> Storm „feiert Jugend und Liebe nicht, indem er sie, fröhlich mitten in der Gegenwart stehend, sorglos genießt, sondern indem er, zurückschauend in die Vergangenheit, sich voll Wehmuth erinnert, welch' süßen Genuß sie ihm einst, vor langen, langen Jahren gewährten". (*Ge-*

schichte der deutschen Nationalliteratur des neunzehn-
ten Jahrhunderts. Stuttgart 1881, S. 365)

Aber auch Salomon übersieht, dass Storm ungeachtet
des wehmutvollen Blicks zurück den Abschied von den
Tagen der Kindheit und Jugend mit ihren Irrungen und
Wirrungen entschieden wie einen Aufbruch instrumen-
tiert hat. Was dann als ein langer Herbst imaginiert wird,
was die Zweitfassung ausspart, vermittelt die Erstfassung
durchaus unter positiven Vorzeichen: Amt, Frau, Kind,
wohlgeordneter Gang, wirtschaftlich und freundlich,
ruhige Tätigkeit etc. Die Streichung der Passage ist jedoch
noch lange kein Beweis dafür, dass Storm die bürgerliche
Existenzgründung seiner Protagonisten und ihren Realismus – nun mit Thomas Mann zu sprechen – als „Pfahl-
bürgertum" denunziert, Reinhardts Abschied und seinen
Aufbruch als Illusion entlarvt hätte.

Die Erstfassung erklärt die Chiffre „Immensee", indem
sie ganz unsentimental betont:

„Sein braunes Haar war weiß geworden, sein
Schritt langsam und seine schlanke Gestalt gebeugt, aber in seinen Augen war noch ein Strahl
von unvergänglicher Jugend." |85|

Diesem zwar getilgten Akkord schickt der Schlusssatz
der Novelle, die vermutlich wegen ihres Rekurses auf
das Thema „Jugend hinter den blauen Bergen" bzw.
seiner Vorgaben auf Titel wie „Wilde Erdbeeren" oder
„Das Lächeln einer Sommernacht" so populär wurde,
nur den variierenden, aber erhalten gebliebenen Akkord
nach:

„Dann rückte er den Stuhl auch zum Tische,
nahm eins der aufgeschlagenen Bücher und

vertiefte sich in Studien, an denen er einst die
Kraft seiner Jugend geübt hatte." |86|

Dieser Satz wiederholt die Chiffrenkette „Immensee" =
„Sommer" = „Jugend". Er widerlegt nicht die gestrichene
Passage, sondern er schreibt die positive Grundierung des
Aufbruchs ins Leben, indem er Gegenwart und Erinnerung aus Konzentrationsgründen erzähltechnisch
kurzschließt, eher noch nachdrücklicher ins Gedächtnis.
Der Wechsel selbst ist wie ein Naturvorgang: Der Sommer ist zu Ende, unausweichlich, unabänderlich. Vorgänge dieser Qualität bedürfen keiner Motivationen, keiner
kurzschlüssigen Zurückführungen aufs Biographische. Es
kommt, wie es kommt, und es ist ohne Resignation
anzunehmen, muss nicht als Entsagung verstanden
werden. Erst Thomas Manns aus dem Flachland, aus der
Schule des Lebens entlaufene Helden finden in ihrer
neuromantischen Grundierung nicht mehr zurück in
„ruhige Thätigkeit" |85|; ihnen wird der „Zwiespalt zwi-
schen Gegenwart und Erinnerung" |84| zum unlösbaren
Problem. Hans Castorp schließlich kommt – anders als
Reinhardt – nach seiner Vertreibung aus dem „Zauberberg" abhanden. Ihm ist kein Alter beschieden.

Storm hat der Sammlung, die seine frühe Prosa und
Lyrik 1851 versammelte und die als bedeutendstes Stück
Immensee enthielt, den wohlüberlegten Titel *Sommer-
Geschichten und Lieder* gegeben. Die Etikette ist unter Wert
gehandelt worden. „Sommergeschichten" ist mehr als ein
gefälliger anthologischer Aufkleber, weil er ein Synonym
für „Immensee", für „Jugend", für die Sache selbst ist.
Storm erachtet ihn in der Widmung der Sammlung an
seine Frau Constanze als eine Art „Classification". Die

Sommergeschichten – *Immensee* allen voran – erzählen nämlich von einer Schönheit, die „alte und junge Herzen mit dem Zauber der Dichtung und der Jugend ergreifen" (An die Eltern, 27. März 1859), so wie der Sommer selbst einen ergreift, jene

> „schöne, an unserer Küste nur zu kurze Zeit des Jahres, die Du, wenn sie fern ist, so sehr ersehnst, wenn sie da ist, so voll zu genießen weißt" (Storm an Constanze in der Widmung der *Sommer-Geschichten* – Husum, den 5. Mai 1850).

Diese Weisheit war und ist auch ansonsten auf der Gasse zu haben; sie ist in diversen Wendungen geradezu sprichwörtlich in Umlauf und wurde in ihrer poetischen Einkleidung Storms nicht nur zu Lebzeiten, sondern bis heute populärstes, weltliterarischen Ruhm beanspruchendes Werk.

Bibliothek der Erstausgaben
im dtv

Herausgegeben von Joseph Kiermeier-Debre

Jeder Band der dtv-Bibliothek der Erstausgaben enthält –
neben dem originalgetreuen Abdruck des Textes – einen
informativen Anhang: Anmerkungen zur Textgestalt, ein
Glossar, Daten zu Leben und Werk sowie ein ausführliches
Nachwort des Herausgebers zur Entstehungs- und
Wirkungsgeschichte

Achim von Arnim
Isabella von Ägypten
ISBN 3-423-02642-1

Clemens Brentano
Gockel, Hinkel und
Gackeleia
ISBN 3-423-02641-3

Georg Büchner:
Danton's Tod
ISBN 3-423-02606-5

Lenz
ISBN 3-423-02626-X

Leonce und Lena
ISBN 3-423-02643-X

Adelbert von Chamisso
Peter Schlehmil's
wundersame Geschichte
ISBN 3-423-02652-9

Annette von
Droste-Hülshoff
Die Judenbuche
ISBN 3-423-02607-3

Joseph Freiherr von
Eichendorff
Aus dem Leben eines
Taugenichts
ISBN 3-423-02605-7

Theodor Fontane:
Frau Jenny Treibel
ISBN 3-423-02672-3

Effi Briest
ISBN 3-423-02628-6

Friedrich de la Motte
Fouqué
Undine
ISBN 3-423-02650-2

Bitte besuchen Sie uns im Internet: www.dtv.de

Bibliothek der Erstausgaben
im <u>dtv</u>

Herausgegeben von Joseph Kiermeier-Debre

Johann W. Goethe:
Götz von Berlichingen
ISBN 3-423-02668-0

Die Leiden des jungen
Werthers
ISBN 3-423-02602-2

Iphigenie auf Tauris
ISBN 3-423-02670-7

Egmont
ISBN 3-423-02669-3

Torquato Tasso
ISBN 3-423-02648-0

Märchen · Novelle
ISBN 3-423-02653-7

Faust. Eine Tragödie
ISBN 3-423-02623-5

Die Wahlverwandtschaften
ISBN 3-423-02651-0

West-oestlicher Divan
ISBN 3-423-02671-5

Faust II
ISBN 3-423-02631-6

Jeremias Gotthelf
Die schwarze Spinne
ISBN 3-423-02633-2

Franz Grillparzer
Der arme Spielmann
ISBN 3-423-02615-4

Friedrich Hebbel
Maria Magdalene
ISBN 3-423-02627-8

Heinrich Heine:
Buch der Lieder
ISBN 3-423-02614-6

Deutschland.
Ein Wintermärchen
ISBN 3-423-02632-4

Friedrich Hölderlin
Hyperion
ISBN 3-423-02624-3

E. T. A. Hoffmann:
Der goldene Topf
ISBN 3-423-02613-8

Das Fräulein von Scuderi
ISBN 3-423-02645-6

Bitte besuchen Sie uns im Internet: www.dtv.de

Bibliothek der Erstausgaben
im <u>dtv</u>

Herausgegeben von Joseph Kiermeier-Debre

Hugo von Hofmannsthal:
Jedermann
ISBN 3-423-02656-1

Der Rosenkavalier
ISBN 3-423-02658-8

Die Frau ohne Schatten
ISBN 3-423-02667-7

Franz Kafka:
Betrachtung
ISBN 3-423-02666-9

Die Verwandlung
ISBN 3-423-02629-4

Der Prozess
ISBN 3-423-02644-8

Das Schloss
ISBN 3-423-02663-4

Gottfried Keller:
Romeo und Julia auf
dem Dorfe
ISBN 3-423-02637-5

Kleider machen Leute
ISBN 3-423-02617-0

Heinrich von Kleist:
Die Marquise von O…
ISBN 3-423-02649-9

Penthesilea
ISBN 3-423-02640-5

Michael Kohlhaas
ISBN 3-423-02604-9

Der zerbrochene Krug
ISBN 3-423-02625-1

J. M. R. Lenz
Der Hofmeister
ISBN 3-423-02621-9

Gotthold Ephraim
Lessing:
Minna von Barnhelm
ISBN 3-423-02610-3

Emilia Galotti
ISBN 3-423-02620-0

Nathan der Weise
ISBN 3-423-02600-6

Die Erziehung des
Menschengeschlechts
ISBN 3-423-02630-8

Bitte besuchen Sie uns im Internet: www.dtv.de

Bibliothek der Erstausgaben
im dtv

Herausgegeben von Joseph Kiermeier-Debre

C. F. Meyer
Das Amulet
ISBN 3-423-02646-4

Eduard Mörike
Mozart auf der Reise
nach Prag
ISBN 3-423-02616-2

Christian Morgenstern
Galgenlieder
ISBN 3-423-02639-1

Novalis
Heinrich von Ofterdingen
ISBN 3-423-02603-0

Rainer Maria Rilke:
Die Aufzeichnungen des
Malte Laurids Brigge
ISBN 3-423-02619-7

Duineser Elegien
ISBN 3-423-02634-0

Friedrich Schiller:
Die Räuber
ISBN 3-423-02601-4

Kabale und Liebe
ISBN 3-423-02622-7
Dom Karlos
ISBN 3-423-02636-7

Wallenstein
ISBN 3-423-02660-X

Maria Stuart
ISBN 3-423-02611-1

Wilhelm Tell
ISBN 3-423-02647-2

Arthur Schnitzler:
Lieutenant Gustl
ISBN 3-423-02659-6

Reigen
ISBN 3-423-02657-X

Traumnovelle
ISBN 3-423-02673-1

Bitte besuchen Sie uns im Internet: www.dtv.de

Bibliothek der Erstausgaben
im <u>dtv</u>

Herausgegeben von Joseph Kiermeier-Debre

Adalbert Stifter:
Abdias
ISBN 3-423-02661-8
Brigitta
ISBN 3-423-02608-1
Der Hagestolz
ISBN 3-423-02662-6

Theodor Storm:
Immensee
ISBN 3-423-02654-5
Der Schimmelreiter
ISBN 3-423-02618-9

Kurt Tucholsky:
Rheinsberg
ISBN 3-423-02664-2
Schloß Gripsholm
ISBN 3-423-02665-0

Frank Wedekind
Frühlings Erwachen
ISBN 33-423-02609-X

Bitte besuchen Sie uns im Internet: www.dtv.de

Für Liebhaber der Poesie –
Geschenkbücher im kleinen Format

Rainer Maria Rilke
Dies Alles von mir
Hg. v. F.-H. Hackel
ISBN 3-423-12837-2

Hugo von Hofmannsthal
**Die scheue Schönheit
kleiner Dinge**
Hg. v. D. Tetzeli v. Rosador
ISBN 3-423-13256-6

Francesco Petrarca
**Ich bin im Sommer Eis,
im Winter Feuer**
Zweisprachige Ausgabe
Hg. u. übers. v. K. Stierle
ISBN 3-423-13257-4

Eduard Mörike
**Horch, von fern ein
leiser Harfenton**
Hg. v. Dietmar Jaegle
ISBN 3-423-13258-2

Friedrich Schiller
**Und das Schöne blüht
nur im Gesang**
Gedichte
Hg. v. J. Kiermeier-Debre
ISBN 3-423-13270-1

Joachim Ringelnatz
Zupf dir ein Wölkchen
Gedichte
Hg. v. G. Stolzenberger
ISBN 3-423-13301-5

Heinrich Heine
**Der Tag ist in die Nacht
verliebt**
Hg. v. J.-C. Hauschild
ISBN 3-423-13390-2

Heinrich Heine
Buch der Lieder
Hg. v. J. Kiermeier-Debre
ISBN 3-423-02614-6

John Donne
**Hier lieg ich von der Lieb
erschlagen**
Zweisprachige Ausgabe
Hg. u. übers. von
Wolfgang Breitwieser
ISBN 3-423-13415-1

Klabund
Das Leben lebt
Hg. v. J. Kiermeier-Debre
ISBN 3-423-20641-1

Bitte besuchen Sie uns im Internet: www.dtv.de

Für Liebhaber der Poesie –
Geschenkbücher im kleinen Format

Friedrich Nietzsche
Heiterkeit, güldene
Hg. v. Johann Prossliner
ISBN 3-423-20672-1

Das Hohelied Salomos
Übersetzt u. kommentiert
von Klaus Reichert
ISBN 3-423-13278-7

Dies alles für Dich
Liebesgedichte
Hg. v. F.-H. Hackel
ISBN 3-423-20522-9

**Du bist mein Leben,
meine Welt**
Liebeserklärungen für
1001 Nacht
Hg. v. Ulrike Ehmann u.
Rosemarie Mailänder
ISBN 3-423-20889-9

**Gedichte
für einen Regentag**
Hg. v. Mathias Mayer
ISBN 3-423-20563-6

**Gedichte
für einen Sonnentag**
Hg. v. Mathias Mayer
ISBN 3-423-20705-1

**Gedichte
für eine Mondnacht**
Hg. v. Mathias Mayer
ISBN 3-423-20859-7

**Gedichte
für einen Frühlingstag**
Hg. v. Gudrun Bull
ISBN 3-423-20966-6

**Gedichte
für einen Herbsttag**
Hg. v. Gudrun Bull
ISBN 3-423-20918-6

**So schöne Blumen blühn
für Dich**
Hg. v. Gudrun Bull
ISBN 3-423-20870-8

Der Garten der Poesie
Hg. v. Anton G. Leitner
und Gabriele Trinckler
ISBN 3-423-20877-5

Bitte besuchen Sie uns im Internet: www.dtv.de